PHILIP'S

ROAD ATLAS

C000215022

FRA
BELGIUM AND
THE NETHERLANDS

nobleIMAGES / Alamy

www.philips-maps.co.uk

First published in 2009 by Philip's,
a division of Octopus Publishing Group Ltd
www.octopusbooks.co.uk
Carmelite House,
50 Victoria Embankment
London EC4Y 0DZ
An Hachette UK Company
www.hachette.co.uk

Third edition 2015
Second impression 2017

ISBN 978-1-84907-400-1

Cartography by Philip's
Copyright © Philip's 2015

Printed in China

CONTENTS

Legend

Route planning map pages VI–VII

	Motorway with selected junctions
	tunnel, under construction
	Toll motorway
	Pre-pay motorway
	Main through route
	Other major road
	Other road
25	European road number
56	Motorway number
55	National road number
56	Distances – in kilometres
	International boundary
	National boundary
LE HAVRE	Car ferry and destination
⊕	International airport
	Town – population
PARIS ▣	5 million +
LYON ▣	1–2 million
Toulouse ◉	500000–1million
Dijon ◉	200000-500000
Caen ◉	100000-200000
Niort ⊙	50000–100000
Beune ○	20000–50000
Lunel ○	10000–20000
Tonnerre ○	5000–10000
Vienne ○	0–5000
	Town – Low Emission Zone
▣	5 million +
▣	1–2 million
◉	500000–1million
◉	200000–500000
◉	100000–200000
◉	50000–100000
●	20000–50000
●	10000–20000
●	5000–10000
●	0–5000

Road maps pages 2–38

⑦ ⑧	**Motorway with junctions** – full, restricted access
◇ ◇	services, rest or parking area
):········(	tunnel
==========	under construction
|	**Toll motorway** – with toll barrier
	Pre-pay motorway – 'Vignette' must be purchased before travel
	Principal trunk highway – single / dual carriageway
)ccccccccc(	Tunnel
-------------------	Under construction
	Other main highway – single / dual carriageway
	Other important road
	Other road
E25	**European road number**
A49	**Motorway number**
135	**National road number**
	Distances – in kilometres
143	major
28	minor
Col Bayard 1248	**Mountain pass**
←	**Scenic route, gradient** – arrow points uphill
	Principal railway
→)·····(←	tunnel
	Ferry route
··········	**Short ferry route**
···-···-···-···-···	**International boundary**
--------------	**National boundary**
	National park
	Natural park
ORLY ⊕	**Airport**
AQUEDUC ROMAINE ⑪	**Ancient monument**
⚳	**Beach**
CHÂTEAU DU LUDE ⑭	**Castle or house**
GROTTE DU GRAND ROC ⌂	**Cave**
VULCANIA ✛	**Other place of interest**
GIVERNY ✿	**Park or garden**
ST CHRISTOL ✛	**Religious building**
⚎	**Ski resort**
DISNEYLAND PARIS ⛪	**Theme park**
VERSAILLES ⊕	**World Heritage site**
1754 ▲	**Spot height**
Bordeaux	**World Heritage town**
Toulouse	**Town of tourist interest**
▣ ◉	**Town with Low Emission Zone**

> In France, some national routes have become departmental roads and have been assigned new road numbers. This means that road signs are subject to change. The new road numbers are shown in this atlas

Scales

Pages VI–VII • 1:4730396, 1cm = 47.3km, 1 in = 74.65 miles

0	20	40	60	80 miles

0	40	80	120 km

Pages 2–38 • 1:1066044, 1cm = 10.66km, 1 inch = 16.8 miles

0	5	10	15	20 miles

0	10	20	30 km

Belgium (B)

🚗	⚠	▲	🏘
⊙ 120*	120*	90	50**

If towing trailer

⊙ 90	90	60	50

Over 3.5 tonnes

⊙ 90	90	60	50

*Minimum speed of 70kph may be applied in certain conditions on motorways and some dual carriageways **Near schools, hospitals and churches the limit may be 30kph

🛡 Compulsory

🧒 All under 19s under 135 cm must wear an appropriate child restraint. Airbags must be deactivated if a rear-facing child seat is used in the front

🍷 0.049% △ Compulsory

🔺 Recommended 🦺 Recommended

🔦 Compulsory ⊖ 18

📱 Only allowed with a hands-free kit

🔆 Mandatory at all times for motorcycles and advised during the day in poor conditions for other vehicles

★ Cruise control must be deactivated on motorways where indicated

★ On-the-spot fines imposed

★ Radar detectors prohibited

★ Sticker indicating maximum recommended speed for winter tyres must be displayed on dashboard if using them

★ Visibility vest compulsory

France (F)

🚗	⚠	▲	🏘
⊙ 130	110	90	50

On wet roads or if full driving licence held for less than 2 years

⊙ 110	100	80	50

If towing below / above 3.5 tonnes gross

⊙ 110/90	100/90	90/80	50

50kph on all roads if fog reduces visibility to less than 50m • Licence will be lost and driver fined for exceeding speed limit by over 40kph

🛡 Compulsory in front seats and, if fitted, in rear

🧒 In rear, 4 or more must have a child safety seat (rear facing if up to 9 months); if 5–10 must use an appropriate restraint system. Under 10 permitted in the front only if rear seats are fully occupied by other under 10s or there are no rear safety belts. In front, if child is in rear-facing child seat, any airbag must be deactivated.

🍷 0.05%. If towing or with less than 2 years with full driving licence, 0.00% • All drivers/motorcyclists must carry 2 unused breathalysers to French certification standards, showing an NF number.

△ Compulsory 🔺 Recommended

🦺 Recommended ⊖ 18

📱 Use not permitted whilst driving

🅻🅴🆉 An LEZ operates in the Mont Blanc tunnel

🔆 Compulsory in poor daytime visibility and at all times for motorcycles

❄ Winter tyres recommended. Carrying snow chains recommended in winter as these may have to be fitted if driving on snow-covered roads, in accordance with signage.

★ GPS must have fixed speed camera function deactivated; radar-detection equipment is prohibited

★ It is compulsory to carry a French-authority-recognised (NF) breathalyser.

★ On-the-spot fines imposed

★ Tolls on motorways. Electronic tag needed if using automatic tolls.

★ Visibility vests compulsory except for motorcyclists and passengers, who must have reflective stickers on their helmets (front, back and both sides).

Netherlands (NL)

🚗	⚠	▲	🏘
⊙ 130	80/100	80/100	50

🛡 Compulsory

🧒 Under 3 must travel in the back, using an appropriate child restraint; 3–18 and under 135cm must use an appropriate child restraint

🍷 0.05%, 0.02% with less than 5 years experience or moped riders under 24

△ Compulsory

🔺 Recommended 🦺 Recommended

🔺 Recommended ⊖ 18

📱 Only allowed with a hands-free kit

🅻🅴🆉 About 20 cities operate or are planning LEZs. A national scheme is planned.

🔆 Recommended in poor visibility and on open roads. Compulsory for motorcycles.

★ On-the-spot fines imposed

★ Radar-detection equipment is prohibited

Ski resorts

❄ = resorts with snow cannon

Alps

Alpe d'Huez 26 B3 ❄ 1860–3330m • 85 lifts • Dec–Apr 🖥 www.alpedhuez.com

Avoriaz 26 A3 ❄ 1800/1100–2280m • 35 lifts • Dec–May 🖥 www.morzine-avoriaz.com

Chamonix-Mont-Blanc 27 B3 ❄ 1035–3840m • 49 lifts • Dec–Apr 🖥 www.chamonix.com

Chamrousse 26 B2 ❄ 1700–2250m • 26 lifts • Dec–Apr 🖥 www.chamrousse.com

Châtel 27 A3 ❄ 1200/1110–2200m • 41 lifts • Dec–Apr 🖥 http://info.chatel.com/english-version.html

Courchevel 26 B3 ❄ 1750/1300–2470m • 67 lifts • Dec–Apr 🖥 www.courchevel.com

Flaine 26 A3 ❄ 1600–2500m • 26 lifts • Dec–Apr 🖥 www.flaine.com

La Clusaz 26 B3 ❄ 1100–2600m • 55 lifts • Dec–Apr 🖥 www.laclusaz.com

La Plagne 26 B3 ❄ 2500/1250–3250m • 109 lifts • Dec–Apr 🖥 www.la-plagne.com

Les Arcs 27 B3 ❄ 1600/1200–3230m • 77 lifts • Dec–May 🖥 www.lesarcs.com

Les Carroz d'Araches 26 A3 ❄ 1140–2500m • 80 lifts • Dec–Apr 🖥 www.lescarroz.com

Les Deux-Alpes 26 C3 ❄ 1650/1300–3600m • 55 lifts • Dec–Apr 🖥 www.les2alpes.com

Les Gets 26 A3 ❄ 1170/1000–2000m • 52 lifts • Dec–Apr 🖥 www.lesgets.com

Les Ménuires 26 B3 ❄ 1815/1850–3200m • 40 lifts • Dec–Apr 🖥 www.lesmenuires.com

Les Sept Laux Prapoutel 26 B3 ❄ 1350–2400m • 24 lifts • Dec–Apr 🖥 www.les7laux.com

Megève 26 B3 ❄ 1100/1050–2350m • 79 lifts • Dec–Apr 🖥 www.megeve.com

Méribel 26 B3 ❄ 1400/1100–2950m • 61 lifts • Dec–May 🖥 www.meribel.net

Morzine 26 A3 ❄ 1000–2460m • 67 lifts, • Dec–Apr 🖥 www.morzine-avoriaz.com

Pra Loup 32 A2 ❄ 1600/1500–2500m • 53 lifts • Dec–Apr 🖥 www.praloup.com

Risoul 26 C3 ❄ 1850/1650–2750m • 59 lifts • Dec–Apr 🖥 www.risoul.com

St-Gervais Mont-Blanc 26 B3 ❄ 850/1150–2350m • 27 lifts • Dec–Apr 🖥 www.st-gervais.com

Serre Chevalier 26 C3 ❄ 1350/1200–2800m • 77 lifts • Dec–Apr 🖥 www.serre-chevalier.com

Tignes 27 B3 ❄ 2100/1550–3450m • 87 lifts • Jan–Dec 🖥 www.tignes.net

Val d'Isère 27 B3 ❄ 1850/1550–3450m • 87 lifts • Dec–Apr 🖥 www.valdisere.com

Val Thorens 26 B3 ❄ 2300/1850–3200m • 29 lifts • Dec–Apr 🖥 www.valthorens.com

Valloire 26 B3 ❄ 1430–2600m • 34 lifts • Dec–Apr 🖥 www.valloire.net

Valmeinier 26 B3 ❄ 1500–2600m • 34 lifts • Dec–Apr 🖥 www.valmeinier.com

Valmorel 26 B3 ❄ 1400–2550m • 90 lifts • Dec–Apr 🖥 www.valmorel.com

Vars Les Claux 26 C3 ❄ 1850/1650–2750m • 59 lifts • Dec–Apr 🖥 www.vars-ski.com

Villard de Lans 26 B2 ❄ 1050/1160–2170m • 28 lifts • Dec–Apr 🖥 www.villarddelans.com

Pyrenees

Font-Romeu 36 B3 ❄ 1800/1600–2200m • 25 lifts • Nov–Apr 🖥 www.font-romeu.fr

Saint-Lary Soulan 35 B4 ❄ 830/1650/1700–2515m • 31 lifts • Dec–Mar 🖥 www.saintlary.com

Vosges

La Bresse-Hohneck 20 A1 ❄ 500/900–1350m • 33 lifts • Dec–Mar 🖥 www.labresse.net

Tourist sights of Belgium, France and The Netherlands

Belgium Belgique
www.visitbelgium.com

Antwerp *Antwerpen* City with many tall gabled Flemish houses on the river. Heart of the city is Great Market with 16–17c guildhouses and Town Hall. Charles Borromeus Church (Baroque). 14–16c Gothic cathedral has Rubens paintings. Rubens also at the Rubens House and his burial place in St Jacob's Church. Excellent museums: Mayer van den Bergh Museum (applied arts); Koninklijk Museum of Fine Arts (Flemish, Belgian); MAS (ethnography, folklore, shipping); Muhka (modern art). www.visitantwerpen.be 5 A4

Bruges *Brugge* Well-preserved medieval town with narrow streets and canals. Main squares: the Market with 13c Belfort and covered market; the Burg with Basilica of the Holy Blood and Town Hall. The collections of Groeninge Museum and Memling museum in St Jans Hospital include 15c Flemish masters. The Onze Lieve Vrouwekerk has a famous *Madonna and Child* by Michelangelo https://bezoekers.brugge.be/en 4 A3

Brussels *Bruxelles* Capital of Belgium. The Lower Town is centred on the enormous Grand Place with Hôtel de Ville and rebuilt guildhouses. Symbols of the city include the 'Manneken Pis' and Atomium (giant model of a molecule). The 13c Notre Dame de la Chapelle is the oldest church. The Upper Town contains: Gothic cathedral; Neoclassical Place Royale; 18c King's Palace; Royal Museums of Fine Arts (old and modern masters) Magritte Museum; MRAH (art and historical artefacts); BELvue museum (in the Bellevue Residence). Also: much Art Nouveau (Horta Museum, Hôtel Tassel, Hôtel Solvay); Place du Petit Sablon and Place du Grand Sablon; 19c Palais de Justice. http://visitbrussels.be 5 B4

Ghent *Gent* Medieval town built on islands surrounded by canals and rivers. Views from Pont St-Michel. The Graslei and Koornlei quays have Flemish guild houses. The Gothic cathedral has famous Van Eyck altarpiece. Also: Belfort; Cloth Market; Gothic Town Hall; Gravensteen. Museums: STAM Museum in Bijloke Abbey (provincial and applied art); Museum of Fine Arts (old masters). www.visitgent.be 5 A3

Namur Reconstructed medieval citadel is the major sight of Namur, which also has a cathedral and provincial museums. www.namurtourisme.be/index.php 5 B4

Tournai The Romanesque-Gothic cathedral is Belgium's finest. Fine Arts Museum has a good collection (15–20c). www.tournai.be 4 B3

France
http://us.rendezvousenfrance.com/

Albi Old town with rosy brick architecture. The vast Cathédrale Ste-Cécile (begun 13c) holds some good art. The Berbie Palace houses the Toulouse-Lautrec museum. www.albi-tourisme.fr 30 B1

Alps Grenoble (www.grenoble-tourisme.com/en/), capital of the French Alps, has a good 20c collection in the Museum of Grenoble. The Vanoise Massif has the greatest number of resorts (Val d'Isère, Courchevel). Chamonix has spectacular views on Mont Blanc, France's and Europe's highest peak. 26 B2

Amiens France's largest Gothic cathedral. The Museum of Picardy has unique 16c panel paintings. www.visit-amiens.com 10 B2

Arles Ancient, picturesque town with Roman relics (1c amphitheatre), 11c cathedral, Archaeological Museum (Roman art); Van Gogh centre. www.arlestourisme.com 31 B3

Avignon Medieval papal capital (1309–77) with 14c walls and many ecclesiastical buildings. Vast Palace of the Popes has stunning frescoes. The Little Palace has fine Italian Renaissance painting. The 12–13c Bridge of St Bénézet is famous. www.ot-avignon.fr 31 B3

Bourges The Gothic Cathedral of St Etienne, one of the finest in France, has a superb sculptured choir. Also notable is the House of Jacques Coeur. www.bourgestourisme.com 17 B4

Brittany *Bretagne* Brittany is famous for cliffs, sandy beaches and wild landscape. It is also renowned for megalithic monuments (Carnac) and Celtic culture. Rennes, has the Palais de Justice and good collections in the Museum of Brittany (history) and Museum of Fine Arts. Also: Nantes; St-Malo. www.bretagne.com 14–15

Burgundy *Bourgogne* Rural wine region with a rich Romanesque, Gothic and Renaissance heritage. The 12c cathedral in Autun and 12c basilica in Vézelay have fine Romanesque sculpture. Monasteries include 11c L'Abbaye de Cluny (ruins) and L'Abbaye de Fontenay. Beaune has beautiful Gothic Hôtel-Dieu and 15c Nicolas Rolin hospices. www.burgundy-tourism.com 18 B3

Caen City with two beautiful Romanesque buildings: Abbaye aux Hommes; Abbaye aux Dames. The château has two museums (15–20c painting; history). The *Bayeux Tapestry* is displayed in nearby Bayeux. www.tourisme.caen.fr 9 A3

Carcassonne Unusual double-walled fortified town of narrow streets with an inner fortress. The fine Romanesque Church of St Nazaire has superb stained glass. www.tourism-carcassonne.co.uk 30 B1

Chartres The 12–13c cathedral is an exceptionally fine example of Gothic architecture (Royal Doorway, stained glass, choir screen). The Fine Arts Museum has a good collection. www.chartres.com 10 C1

Clermont-Ferrand The old centre contains the cathedral built out of lava and Romanesque basilica. The Puy de Dôme and Puy de Sancy give spectacular views over some 60 extinct volcanic peaks (*puys*). www.clermontferrandtourism.com 24 B3

Colmar Town characterised by Alsatian half-timbered houses. The Unterlinden Museum has excellent German religious art including the famous Isenheim altarpiece. The Dominican church also has a fine altarpiece. Espace André Malraux (contemporary arts). www.ot-colmar.fr 20 A2

Corsica *Corse* Corsica has a beautiful rocky coast and mountainous interior. Napoleon's birthplace of Ajaccio has: Fesch Museum with Imperial Chapel and a large collection of Italian art; Maison Bonaparte; cathedral. Bonifacio, a medieval town, is spectacularly set on a rock over the sea. www.visit-corsica.com 38

Côte d'Azur The French Riviera is best known for its coastline and glamorous resorts. There are many relics of artists who worked here: St-Tropez has Musée de l'Annonciade; Antibes has 12c Château Grimaldi with the Picasso Museum; Cagnes has the Renoir House and Mediterranean Museum of Modern Art; St-Paul-de-Vence has the excellent Maeght Foundation and Matisse's Chapelle du Rosaire. Cannes is famous for its film festival. Also: Marseille, Monaco, Nice. www.frenchriviera-tourism.com 33 B3

Dijon Great 15c cultural centre. The Palais des Ducs et des Etats is the most notable monument and contains the Museum of Fine Arts. Also: the Charterhouse of Champmol. www.visitdijon.com 19 B4

Disneyland Paris Europe's largest theme park follows in the footsteps of its famous predecessors in the United States. www.disneylandparis.com 10 C2

Le Puy-en-Velay Medieval town bizarrely set on the peaks of dead volcanoes. It is dominated by the Romanesque cathedral (cloisters). The Romanesque chapel of St-Michel is dramatically situated on the highest rock. www.ot-lepuyenvelay.fr 25 B3

Loire Valley The Loire Valley has many 15–16c châteaux built amid beautiful scenery by French monarchs and members of their courts. Among the most splendid are Azay-le-Rideau, Chenonceaux and Loches. Also: Abbaye de Fontévraud. www.loirevalleytourism.com 16 B2

Lyon France's third largest city has an old centre and many museums including the Museum of the History of Textiles and the Museum of Fine Arts (old masters). www.lyon-france.com 25 B4

Marseilles *Marseille* Second lagest city in France. Spectacular views from the 19c Notre-Dame-de-la-Garde. The Old Port has 11-12c Basilique St Victor (crypt, catacombs). Cantini Museum has major collection of 20c French art. Château d'If was the setting of Dumas' *The Count of Monte Cristo.* www.marseille-tourisme.com 31 B4

Mont-St-Michel Gothic pilgrim abbey (11–12c) set dramatically on a steep rock island rising from mud flats and connected to the land by a road covered by the tide. The abbey is made up of a complex of buildings. www.ot-montsaintmichel.com 15 A4

Nancy A centre of Art Nouveau. The 18c Place Stanislas was constructed by dethroned Polish king Stanislas. Museums: School of Nancy Museum (Art Nouveau furniture); Fine Arts Museum. http://en.nancy-tourisme.fr/home/ 12 C2

Nantes Former capital of Brittany, with the 15c Château des ducs de Bretagne. The cathedral has a striking interior. www.nantes-tourisme.com 15 B4

Nice Capital of the Côte d'Azur, the old town is centred on the old castle on the hill. The seafront includes the famous 19c Promenade des Anglais. The aristocratic quarter of the Cimiez Hill has the Marc Chagall Museum and the Matisse Museum. Also: Museum of Modern and Contemporary Art (especially neo-Realism and Pop Art). www.nicetourism.com 33 B3

Paris Capital of France, one of Europe's most interesting cities. The Île de la Cité area, an island in the River Seine has the 12–13c Gothic Notre Dame (wonderful stained glass) and La Sainte-Chapelle (1240–48), one of the jewels of Gothic art. The Left Bank area: Latin Quarter with the famous Sorbonne university; Museum of Cluny housing medieval art; the Panthéon; Luxembourg Palace and Gardens; Montparnasse, interwar artistic and literary centre; Eiffel Tower; Hôtel des Invalides with Napoleon's tomb. Right Bank: the great boulevards (Avenue des Champs-Élysées joining the Arc de Triomphe and Place de la Concorde); 19c Opéra Quarter; Marais, former aristocratic quarter of elegant mansions (Place des Vosges); Bois de Boulogne, the largest park in Paris; Montmartre, centre of 19c bohemianism, with the Basilique Sacré-Coeur. The Church of St Denis is the first gothic church and the mausoleum of the French monarchy. Paris has three of the world's greatest art collections: The Louvre (to 19c, *Mona Lisa*), Musée d'Orsay (19–20c) and National Modern Art Museum in the Pompidou Centre. Other major museums include: Orangery Museum; Paris Museum of Modern Art; Rodin Museum; Picasso Museum. Notable cemeteries with graves of the famous: Père-Lachaise, Montmartre, Montparnasse. Near Paris are the royal residences of Fontainebleau and Versailles. www.parisinfo.com 10 C2

Pyrenees Beautiful unspoiled mountain range. Towns include: delightful sea resorts of St-Jean-de-Luz and Biarritz; Pau, with access to the Pyrenees National Park; pilgrimage centre Lourdes.

Reims Together with nearby Epernay, the centre of champagne production. The 13c Gothic cathedral is one of the greatest architectural achievements in France (stained glass by Chagall). Other sights: Palais du Tau with cathedral sculpture, 11c Basilica of St Rémi; cellars on Place St-Niçaise and Place des Droits-des-Hommes. www.reims-tourisme.com 11 B4

Rouen Old centre with many half-timbered houses and 12–13c Gothic cathedral and the Gothic Church of St Maclou with its fascinating remains of a dance macabre on the former cemetery of Aître St-Maclou. The Fine Arts Museum has a good collection. www.rouentourisme.com 9 A5

St-Malo Fortified town (much rebuilt) in a fine coastal setting. There is a magnificent boat trip along the river Rance to Dinan, a splendid well-preserved medieval town. www.saint-malo-tourisme.com 15 A3

Strasbourg Town whose historic centre includes a well-preserved quarter of medieval half-timbered Alsatian houses, many of them set on the canal. The cathedral is one of the best in France. The Palais Rohan contains several museums. www.otstrasbourg.com 13 C3

Toulouse Medieval university town characterised by flat pink brick (Hôtel Assézat). The Basilique St Sernin, the largest Romanesque church in France, has many art treasures. Marvellous Church of the Jacobins holds the body of St Thomas Aquinas. www.toulouse-tourisme.com 29 C4

Tours Historic town centred on Place Plumereau. Good collections in the Guilds Museum and Fine Arts Museum. www.tours-tourisme.fr 16 B2

Versailles Vast royal palace built for Louis XIV, primarily by Mansart, set in large formal gardens with magnificent fountains. The extensive and much-imitated state apartments include the famous Hall of Mirrors and the exceptional Baroque chapel. www.chateauversailles.fr 10 C2

Vézère Valley Caves A number of prehistoric sites, most notably the cave paintings of Lascaux (some 17,000 years old), now only seen in a duplicate cave, and the cave of Font de Gaume. The National Museum of Prehistory is in Les Eyzies. www.lascaux-dordogne.com/en 29 B4

Netherlands Nederland

http://holland.com

Amsterdam Capital of the Netherlands. Old centre has picturesque canals lined with distinctive elegant 17–18c merchants' houses. Dam Square has 15c New Church and Royal Palace. Other churches include Westerkerk. The Museumplein has three world-famous museums: the newly restored Rijksmuseum (several art collections including 15–17c painting); Van Gogh Museum; Municipal Museum (art from 1850 on). Other museums: Anne Frank House; Jewish Historical Museum; Rembrandt House; Hermitage Museum (exhibitions). http://holland.com 2 B1

Delft Well-preserved old Dutch town with gabled red-roofed houses along canals. Gothic churches: New Church; Old Church. Famous for Delftware (two museums). www.delft.nl 2 B1

Haarlem Many medieval gabled houses centred on the Great Market with 17c Town Hall and 15c Church of St Bavon. Museums: Frans Hals Museum; Teylers Museum. www.haarlemmarketing.co.uk 2 B1

The Hague *Den Haag* Seat of Government and of the royal house of the Netherlands. The 17c Mauritshuis houses the Royal Picture Gallery (excellent 15–18c Flemish and Dutch). Other museums: Escher Museum; Meermanno Museum (books); Municipal Museum. 2 B1

Het Loo Former royal palace and gardens set in a vast landscape (commissioned by future the future King and Queen of England, William and Mary). www.paleishetloo.nl 2 B2

Keukenhof In spring, landscaped gardens, planted with bulbs of many varieties, are the largest flower gardens in the world. www.keukenhof.nl 2 B1

Leiden University town of beautiful gabled houses set along canals. The Rijksmuseum Van Oudheden is Holland's most important home to archaeological artefacts from the Antiquity. The 16c Hortus Botanicus is one of the oldest botanical gardens in Europe. The Cloth Hall with van Leyden's *Last Judgement.* http://leidenholland.com 2 B1

Rotterdam The largest port in the world. The Boymans-van Beuningen Museum has a huge and excellent decorative and fine art collection (old and modern). Nearby: 18c Kinderdijk with 19 windmills. https://en.rotterdam.info/visitors 5 A4

Utrecht Delightful old town centre along canals with the Netherlands' oldest university and Gothic cathedral. Good art collections: Central Museum; National Museum. www.utrecht.nl 2 B2

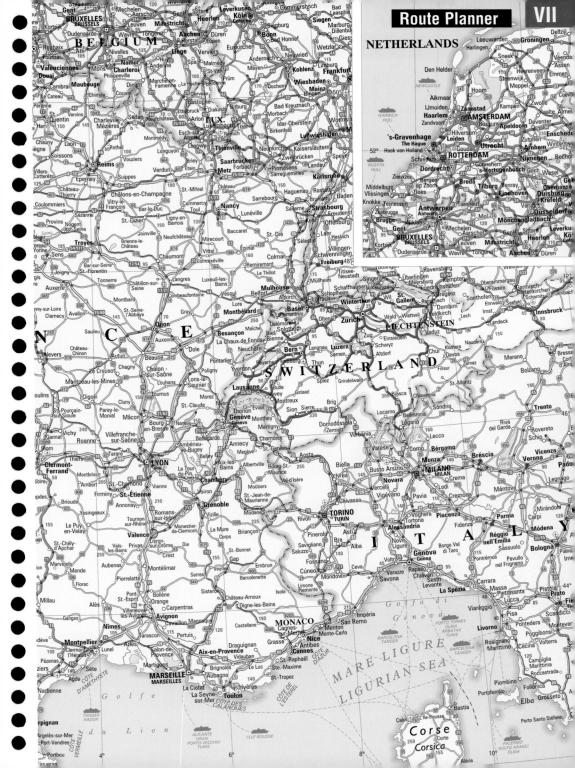

Distances

How to use this table

Distances are shown in miles and, in light type, kilometres.
For example, the distance between Antwerp and Dieppe is
232 miles or 374 kilometres.

Amsterdam

99
159 **Antwerp**

662 573
1065 922 **Bordeaux**

242 145 539
390 233 867 **Boulogne**

646 547 398 421
1040 881 641 678 **Brest**

127 28 545 140 525
205 45 877 226 845 **Brussels**

227 126 533 22 442 122
366 203 857 35 712 196 **Calais**

505 388 431 273 262 370 291
812 624 694 439 422 596 468 **Cherbourg-Octeville**

574 474 230 422 513 447 442 446
924 763 370 679 825 720 711 717 **Clermont-Ferrand**

334 232 439 85 339 180 109 184 344
538 374 706 137 545 290 176 296 554 **Dieppe**

77 55 607 199 595 79 181 441 516 247
124 89 977 321 958 127 291 709 831 397 **Eindhoven**

641 495 419 513 678 500 530 575 185 474 539
1032 797 674 826 1091 804 853 926 297 763 867 **Grenoble**

604 511 113 413 273 478 431 293 295 337 560 462
972 823 182 665 439 769 694 472 475 543 902 743 **La Rochelle**

375 275 418 151 288 250 172 135 366 68 328 478 314
604 442 673 243 463 402 277 217 589 110 528 770 506 **Le Havre**

438 341 269 244 243 314 267 176 270 169 395 446 178 153
705 548 433 392 391 505 430 283 435 272 636 717 286 246 **Le Mans**

152 77 566 194 559 60 185 402 478 239 67 489 519 288 350
244 124 911 313 899 96 297 647 770 385 108 787 835 464 564 **Liege**

176 78 488 71 460 68 69 305 398 115 130 493 425 132 263 126
283 125 786 115 741 109 111 491 640 185 210 793 684 213 423 202 **Lille**

542 463 137 401 373 434 421 371 113 341 508 330 137 334 184 469 375
872 745 221 646 600 699 678 597 182 549 817 531 220 537 296 755 604 **Limoges**

233 159 544 252 612 132 249 426 367 264 166 371 485 321 88 87 174 473
375 256 875 405 985 212 401 686 590 425 267 597 781 516 142 140 280 762 **Luxembourg**

575 473 347 442 629 446 464 493 106 389 492 66 459 411 331 413 426 260 318
925 761 558 712 1013 717 746 794 170 626 792 106 739 662 533 665 685 418 511 **Lyon**

768 670 393 640 786 643 581 700 255 600 699 180 516 595 546 615 609 366 518 187
1236 1079 632 1030 1265 1035 935 1127 410 966 1125 290 830 958 878 990 980 589 833 301 **Marseilles**

760 662 303 626 696 641 643 643 207 548 678 183 413 564 470 609 606 270 506 188 103
1223 1066 488 1008 1120 1031 1034 1035 333 882 1091 295 665 908 756 980 975 434 814 302 165 **Montpellier**

327 228 547 324 598 203 321 460 342 321 249 318 491 357 362 175 260 409 72 254 445 439
527 367 880 521 962 326 517 740 550 517 401 512 790 574 582 282 418 659 116 409 716 707 **Nancy**

548 449 219 353 185 428 373 211 333 278 505 506 87 239 115 465 374 217 465 451 613 511 469
882 723 352 568 297 688 601 339 536 448 813 815 140 385 185 749 602 350 748 725 987 823 755 **Nantes**

865 767 499 737 894 743 761 798 393 698 784 204 608 699 652 713 716 527 611 293 127 202 542 710
1392 1235 803 1186 1438 1195 1225 1284 633 1124 1261 328 979 1125 1050 1148 1153 848 984 471 204 325 872 1142 **Nice**

175 75 550 78 501 70 60 347 452 172 128 551 481 227 321 131 55 432 207 484 677 670 278 429 774
282 121 885 126 807 113 97 558 727 277 206 886 774 365 516 211 89 695 333 779 1090 1079 447 690 1245 **Oostende**

312 212 364 158 367 190 180 221 263 121 265 355 293 122 129 228 137 244 232 289 482 466 240 240 579 191
502 341 585 255 591 305 290 355 423 195 427 571 471 196 208 367 220 392 373 465 775 750 386 386 932 307 **Paris**

296 199 447 171 451 167 166 313 331 176 241 373 377 217 213 164 126 327 145 303 496 489 129 323 593 180 89
477 321 720 275 726 269 267 503 532 284 388 600 606 349 342 264 202 526 233 488 799 787 208 520 955 289 143 **Reims**

532 432 289 309 150 409 329 145 368 230 485 546 174 96 449 356 287 444 478 652 570 451 67 749 387 219 302
856 695 465 498 241 659 530 234 592 370 781 878 255 280 155 722 573 462 715 770 1050 918 725 108 1206 622 352 486 **Rennes**

46 62 635 210 612 94 193 454 537 294 69 606 568 337 404 135 142 519 215 538 731 724 290 514 829 139 279 261 496
74 99 1022 338 985 151 310 731 864 473 111 976 914 543 650 218 228 835 346 866 1177 1165 466 827 1334 223 449 420 799 **Rotterdam**

378 293 593 387 666 268 385 528 375 392 301 330 584 432 426 240 342 457 137 260 409 72 536 489 342 303 216 515 357
608 472 954 623 1071 432 620 850 604 631 484 531 940 696 686 386 550 735 220 495 805 793 156 863 787 550 487 828 575 **Strasbourg**

732 632 152 579 548 609 601 578 232 534 685 330 262 536 378 647 556 179 654 334 252 150 585 364 349 610 422 505 434 696 639
1178 1017 244 932 882 980 967 930 374 860 1103 531 421 862 608 1042 895 288 1052 538 405 241 941 585 562 982 679 812 699 1120 1028 **Toulouse**

459 359 216 305 308 336 325 237 211 230 413 384 146 211 63 375 283 140 378 328 496 413 346 134 593 337 149 232 157 423 430 318
738 577 347 491 496 541 523 382 339 370 664 618 235 340 102 603 456 225 609 528 799 664 557 215 955 543 239 374 253 681 692 511 **Tours**

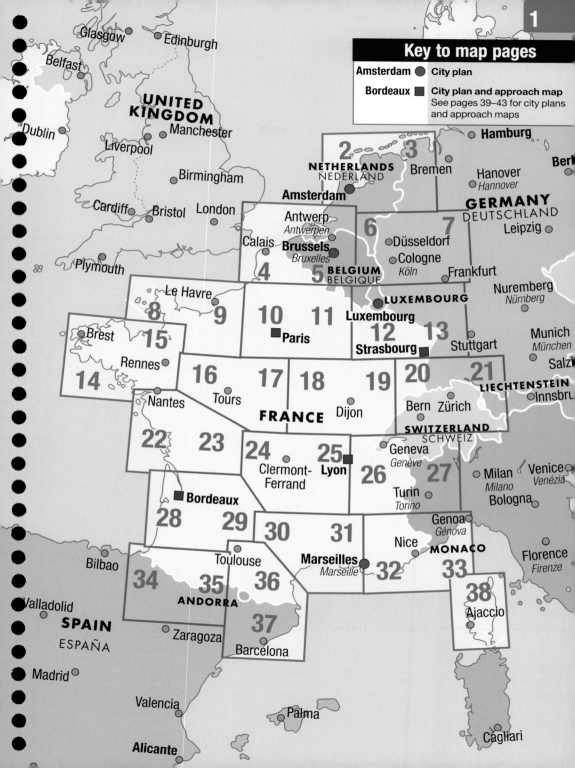

Key to map pages

Amsterdam ● City plan
Bordeaux ■ City plan and approach map
See pages 39–43 for city plans
and approach maps

Glasgow
Edinburgh
Belfast
Dublin

UNITED KINGDOM
Manchester
Liverpool
Birmingham
Cardiff Bristol London
Plymouth

Hamburg

2 **3**
NETHERLANDS
NEDERLAND Bremen

Hanover
Hannover

GERMANY
DEUTSCHLAND

Berl

Amsterdam

Antwerp
Antwerpen **6** Düsseldorf
Calais Cologne
Köln
BELGIUM Leipzig
5 BELGIQUE Frankfurt
4 Brussels
Bruxelles **7**

Nuremberg
Nürnberg

LUXEMBOURG
Luxembourg

Le Havre
8 **9** **10** **11** **12** **13**
Brest **15** Paris Strasbourg Stuttgart

Munich
München Salz

Rennes
14 **16** **17** **18** **19** **20** **21**
Nantes Tours **LIECHTENSTEIN** Innsbr

FRANCE Dijon Bern Zürich

22 **23** **SWITZERLAND**
SCHWEIZ

24 **25** Geneva
Genève **27** Milan
Milano Venice
Venézia
Clermont-
Ferrand Lyon **26** Bologna
Turin
Torino

Bordeaux Genoa
Génova
28 **29** **30** **31** Nice **MONACO** Florence
Firenze
Bilbao Toulouse Marseilles
Marseille **32** **33**
34 **35** **36**
ANDORRA
Valladolid
SPAIN
ESPAÑA Zaragoza **37** **38**
Barcelona Ajaccio

Madrid

Valencia Palma

Alicante Cagliari

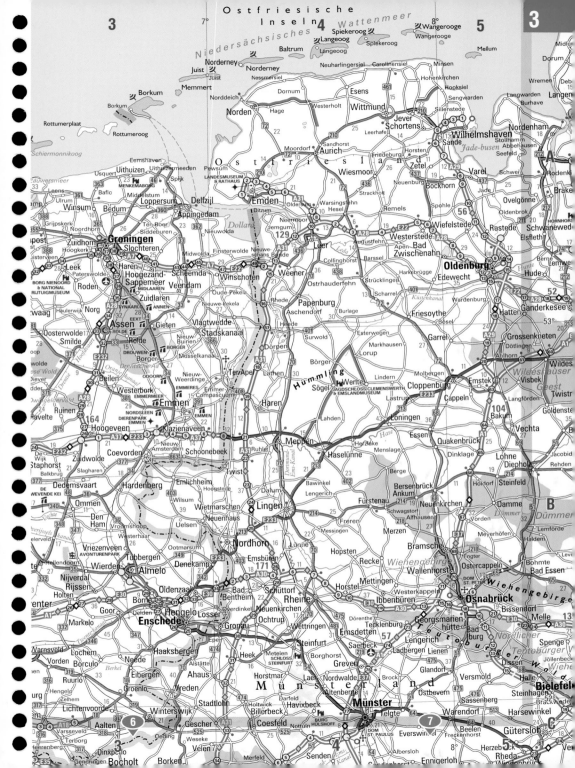

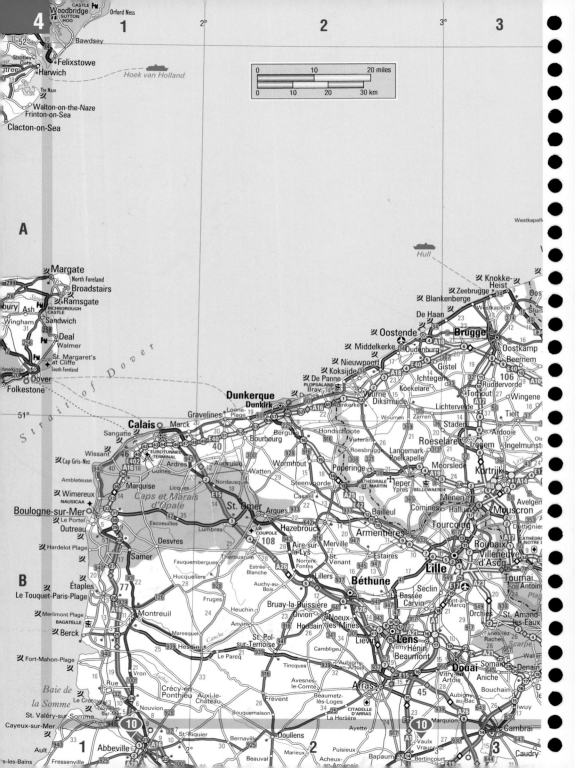

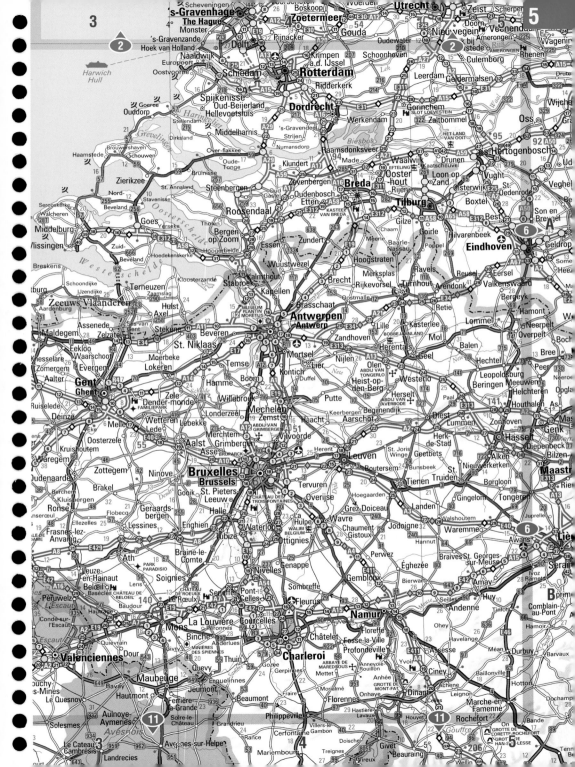

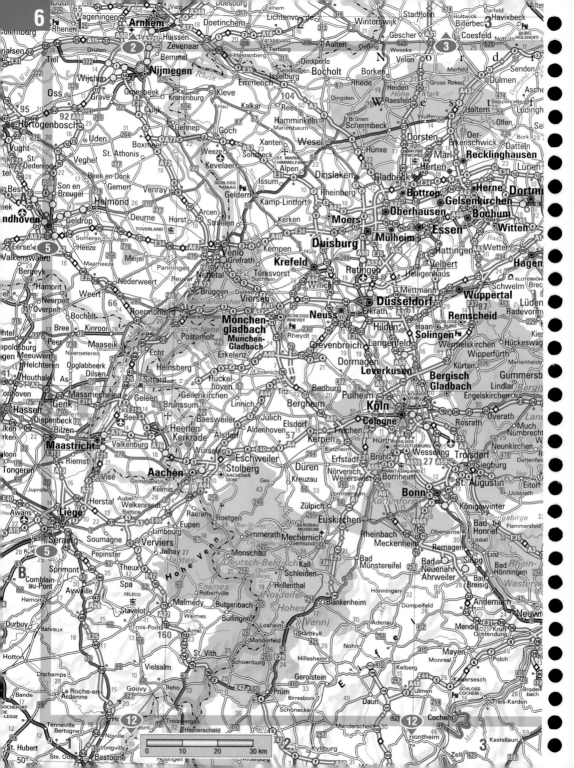

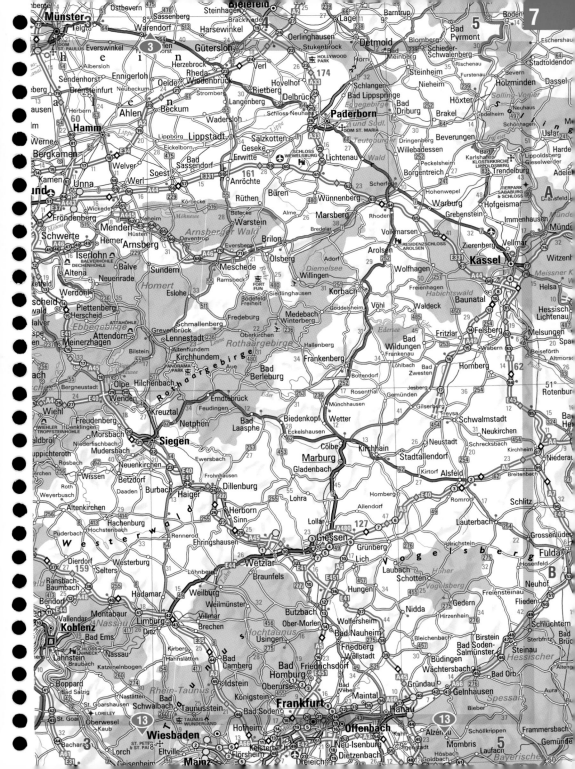

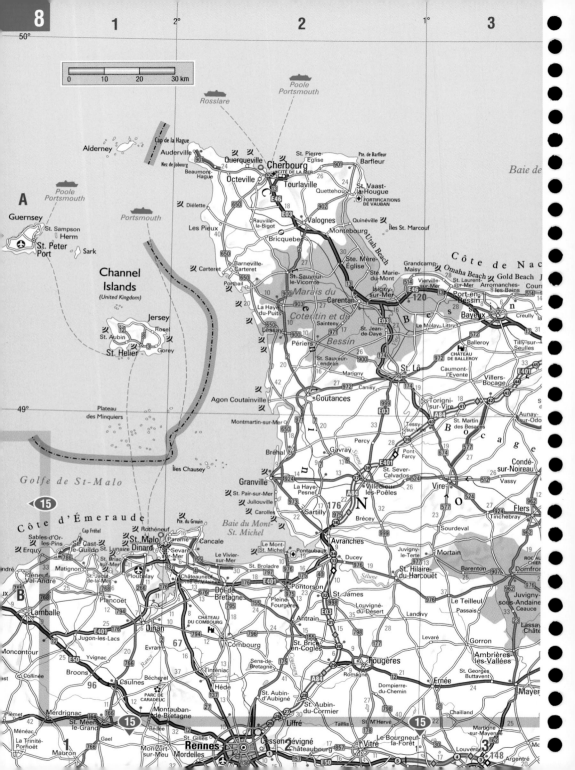

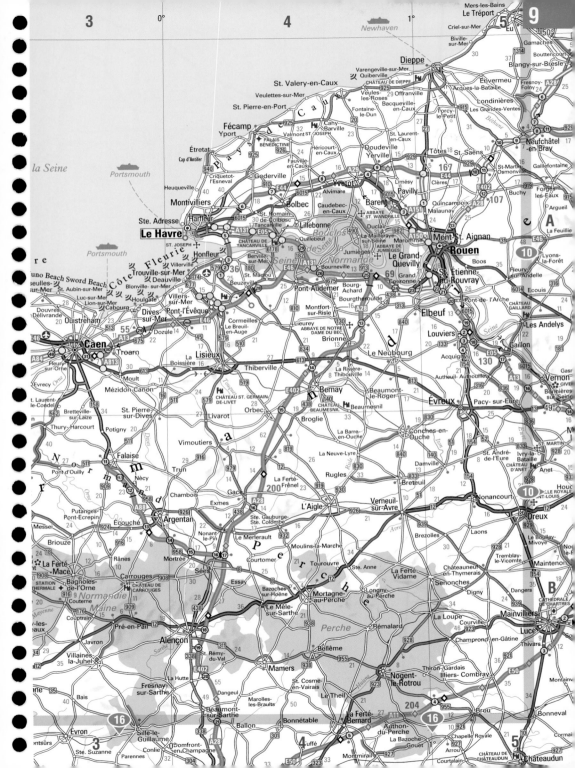

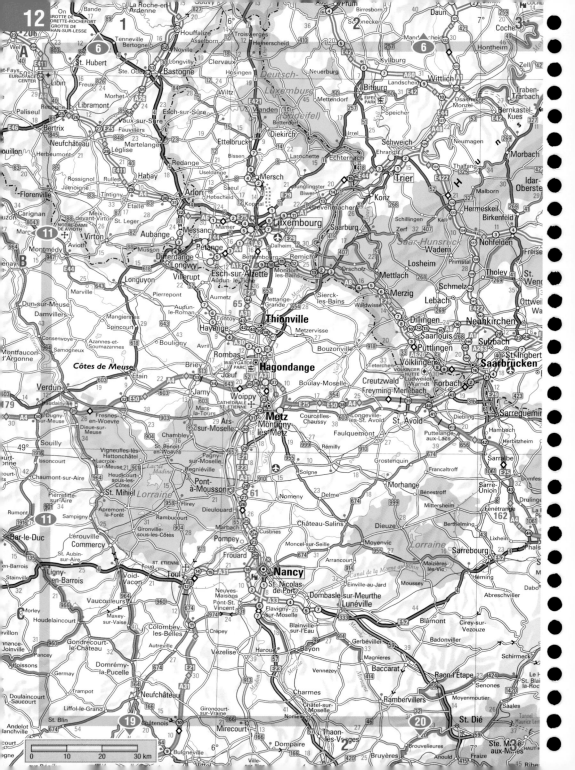

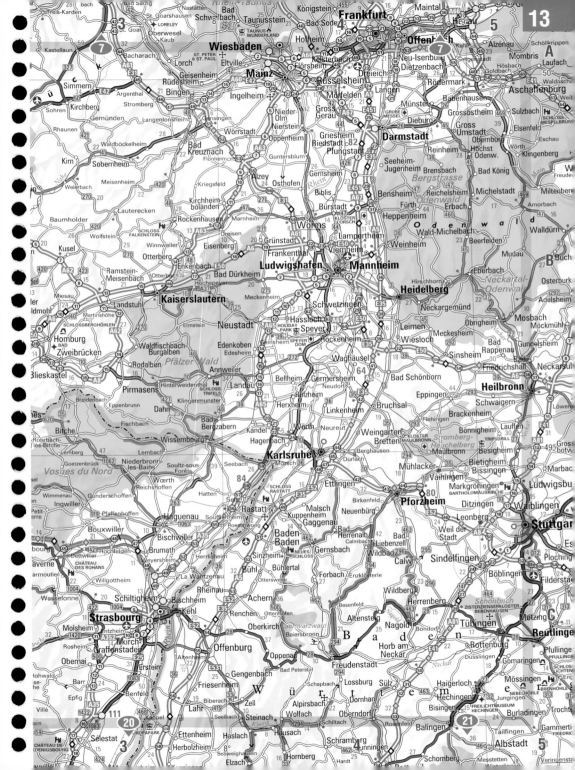

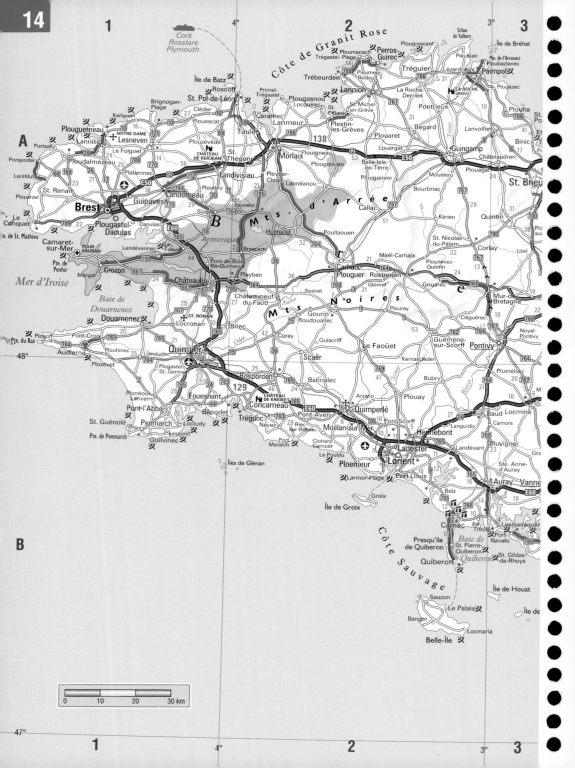

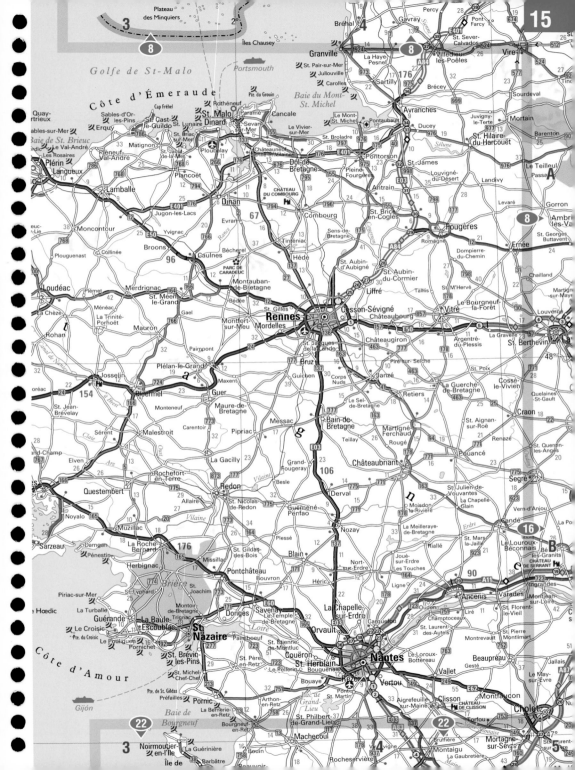

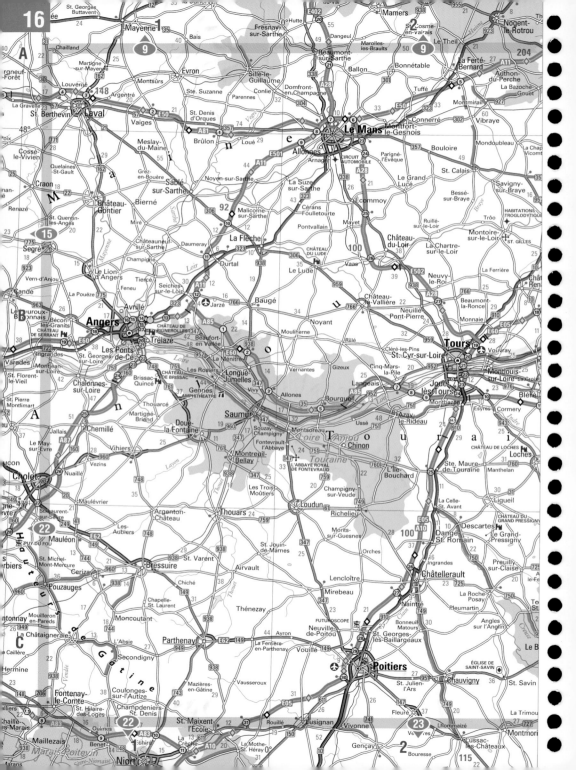

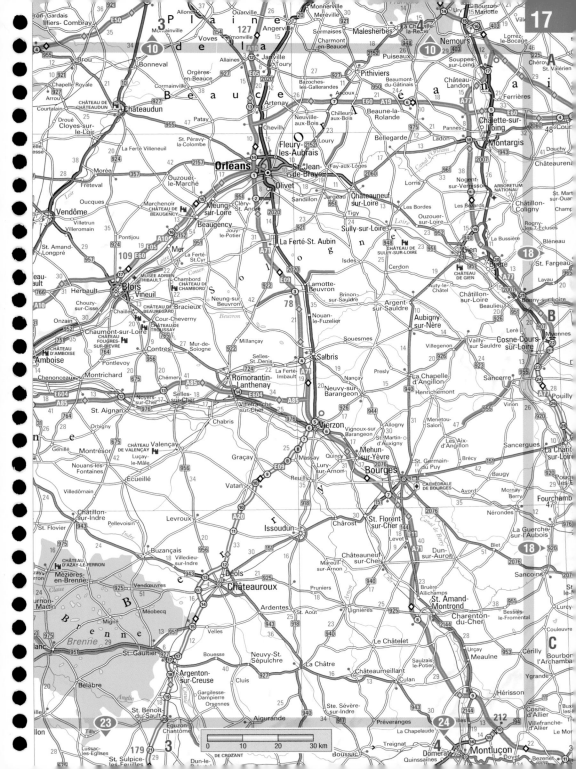

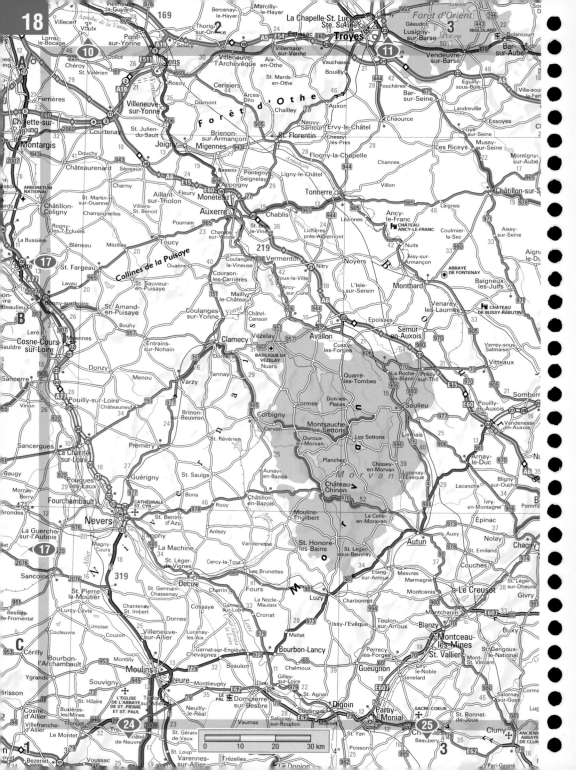

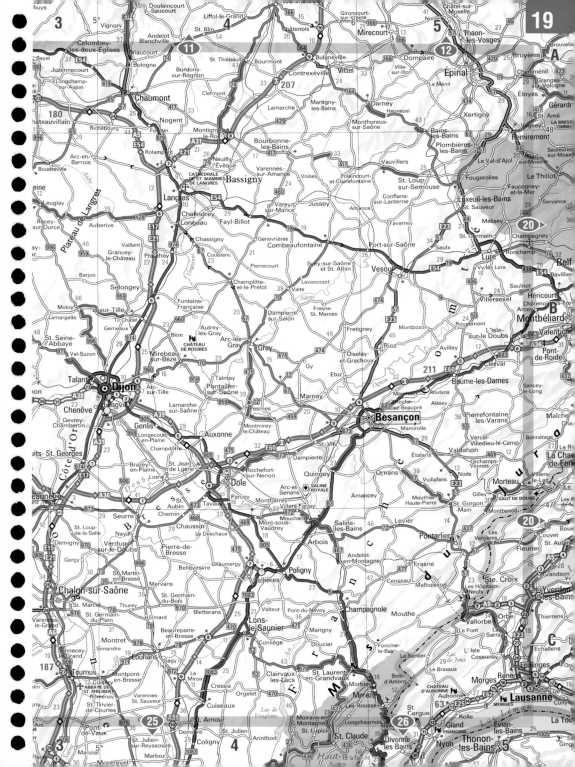

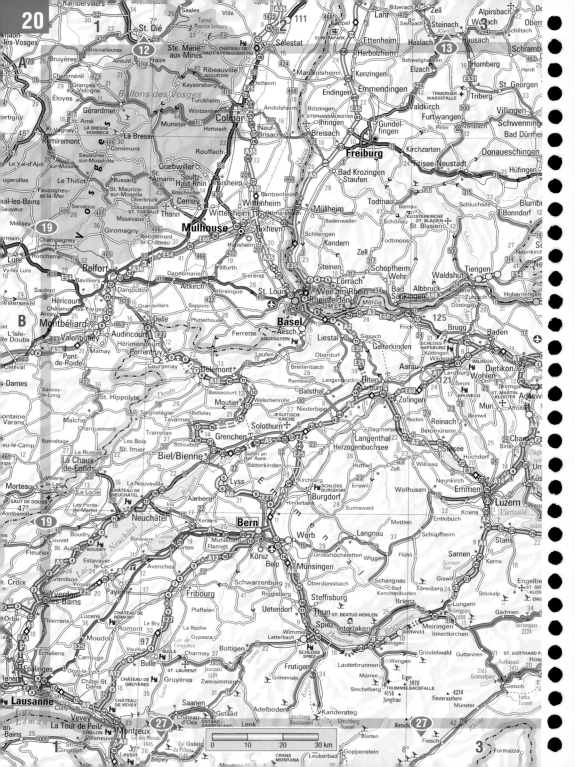

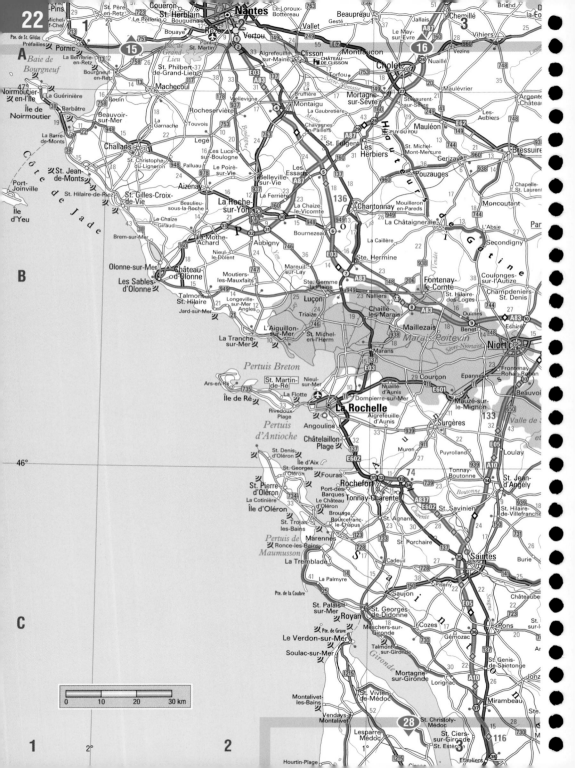

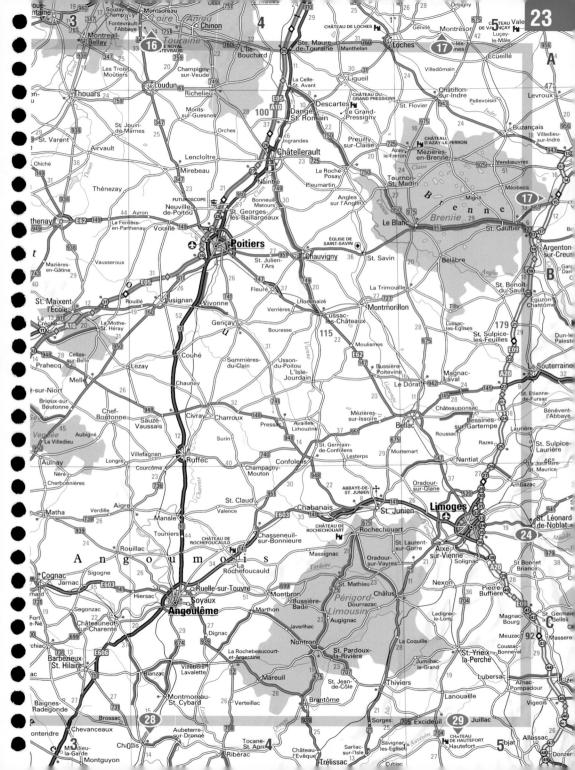

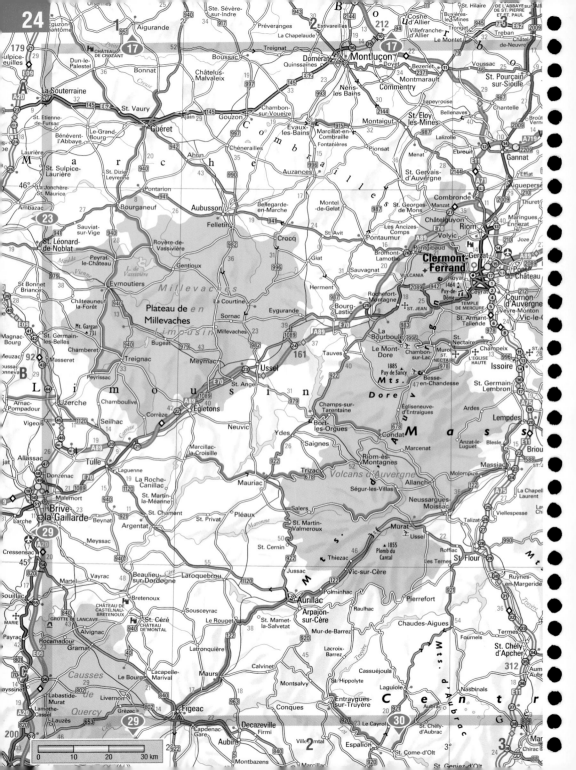

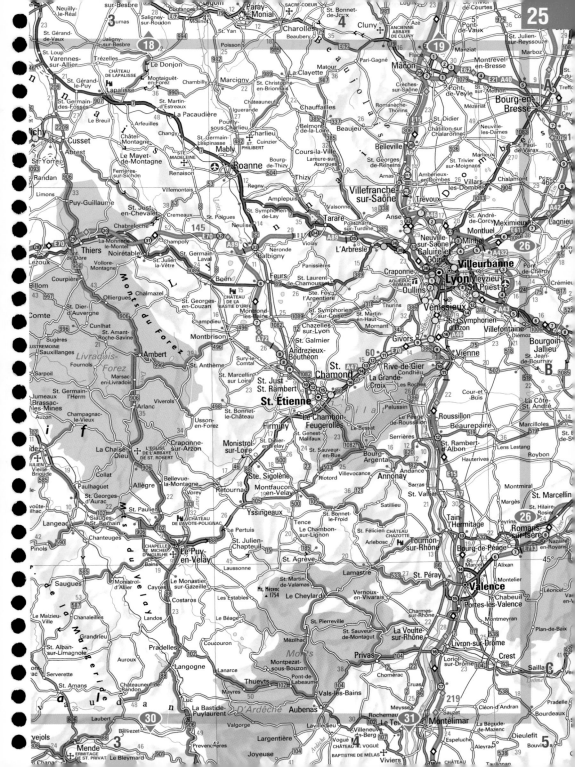

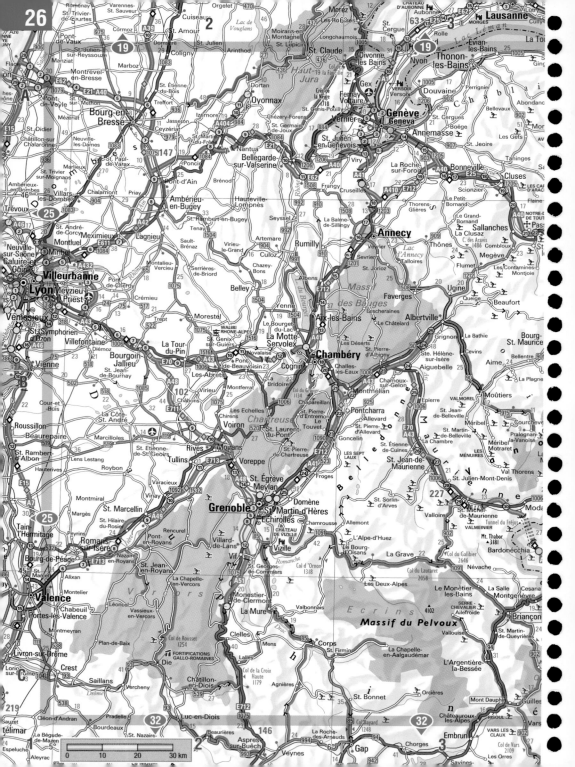

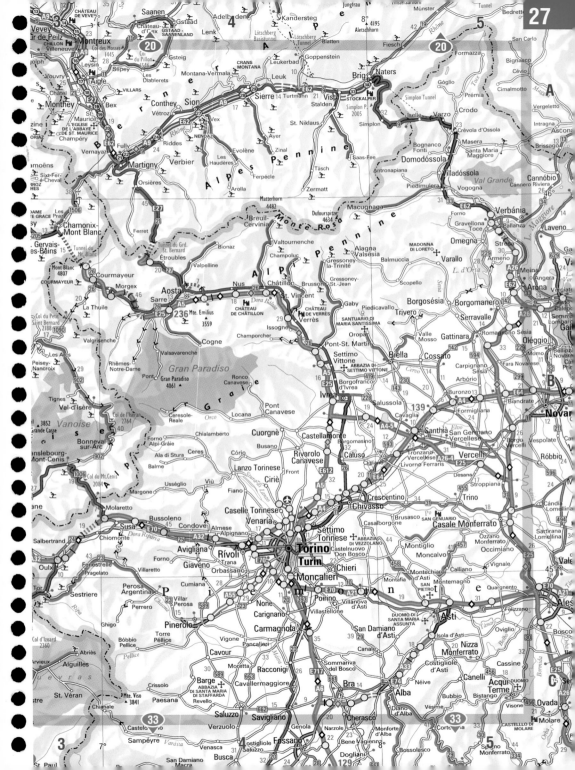

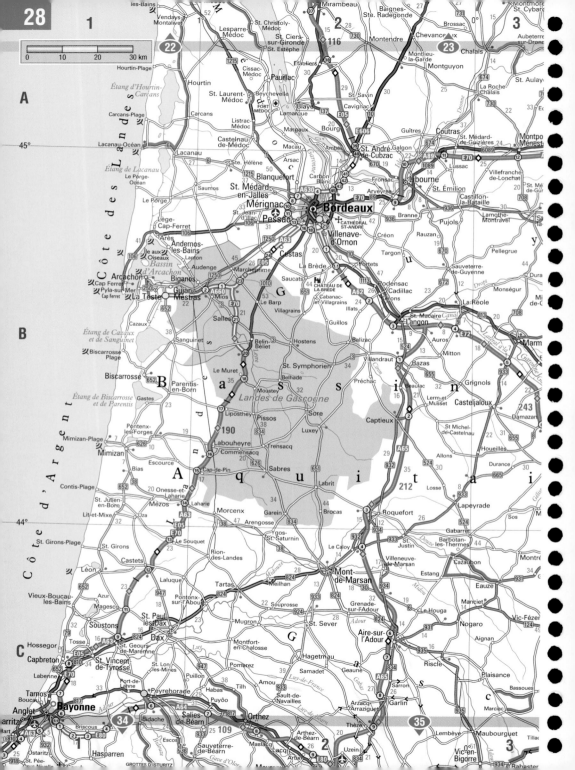

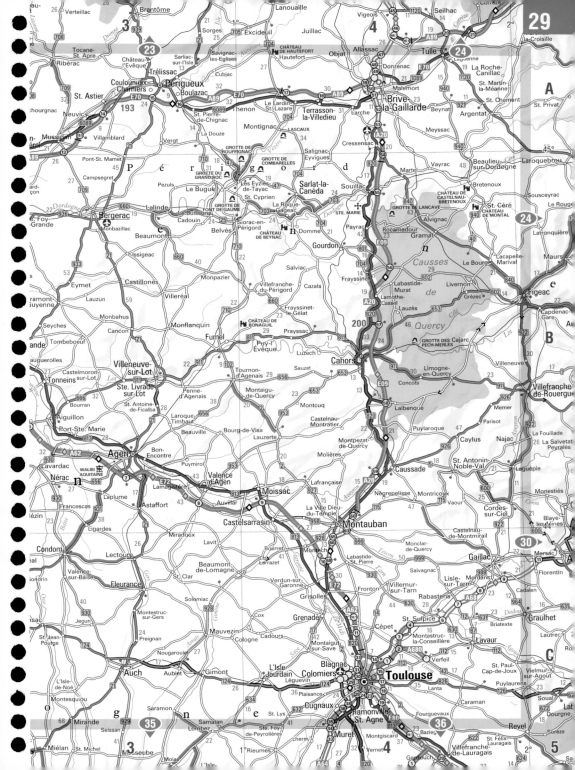

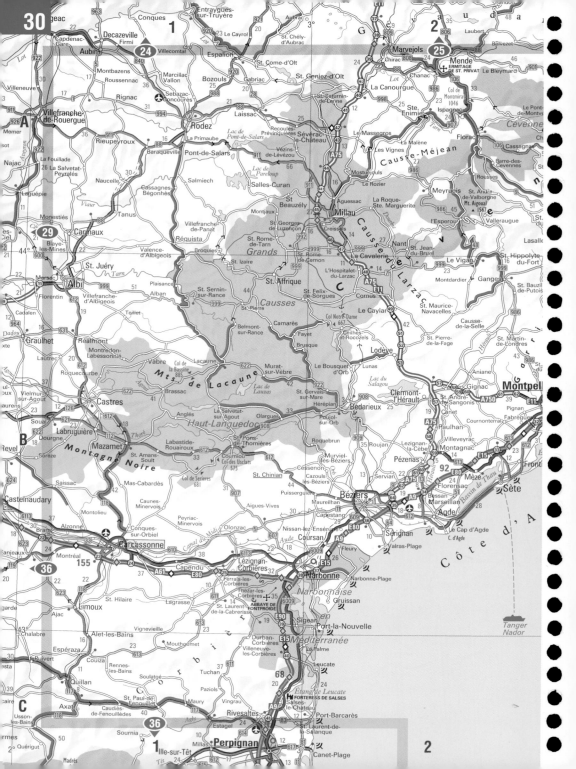

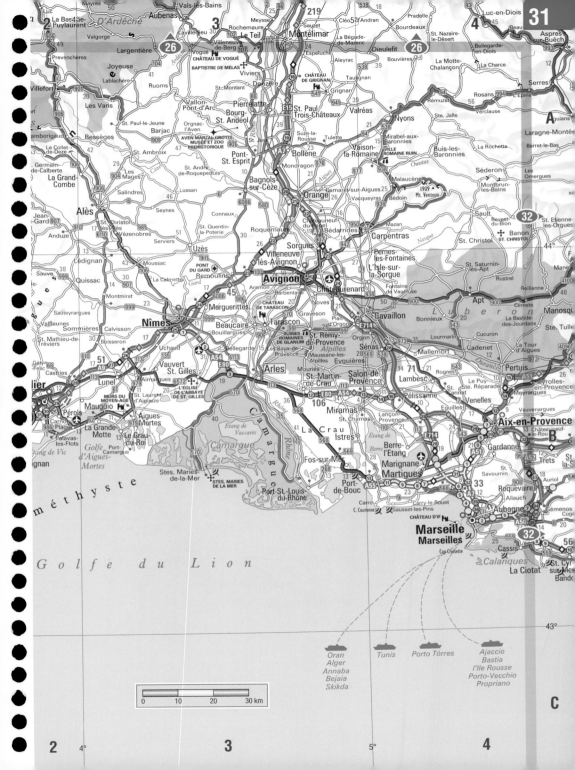

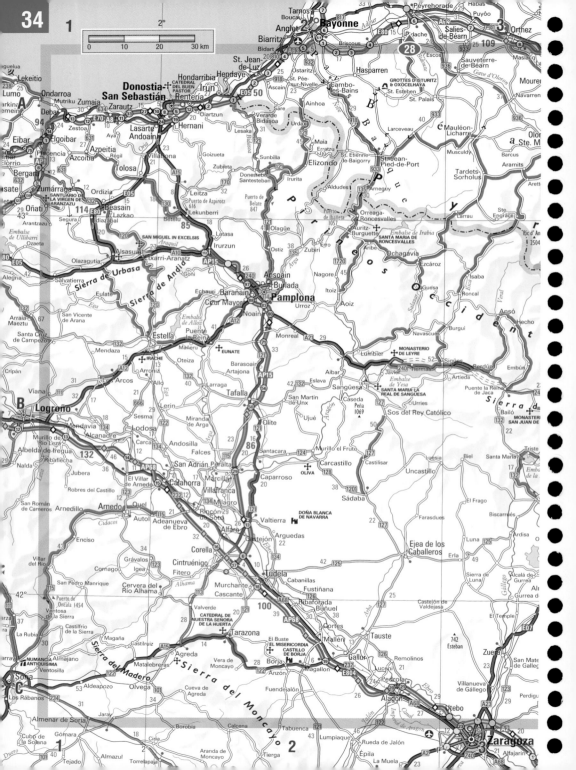

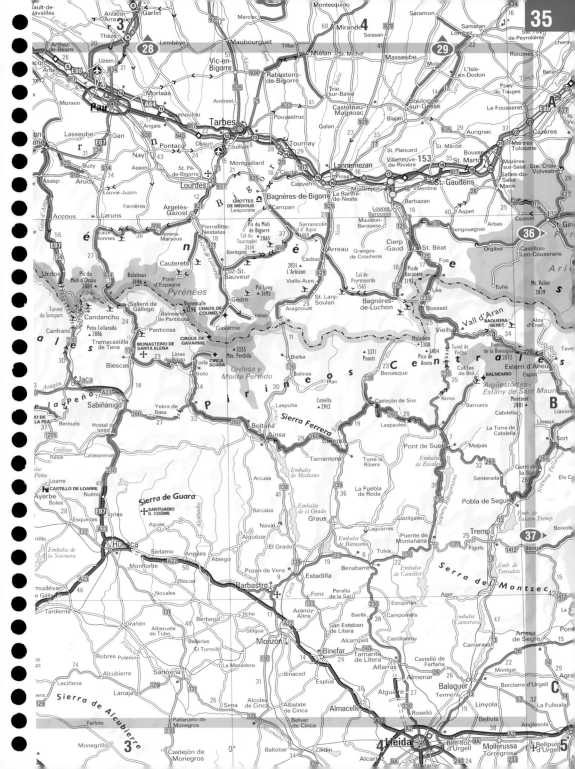

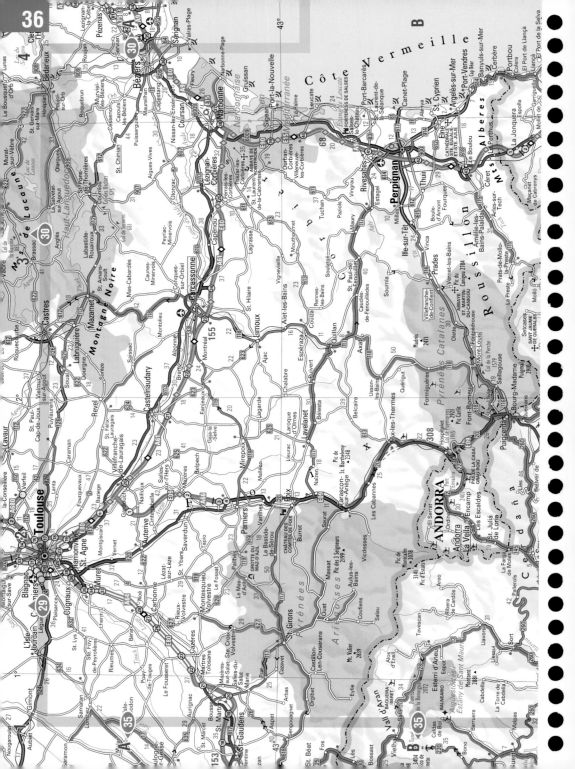

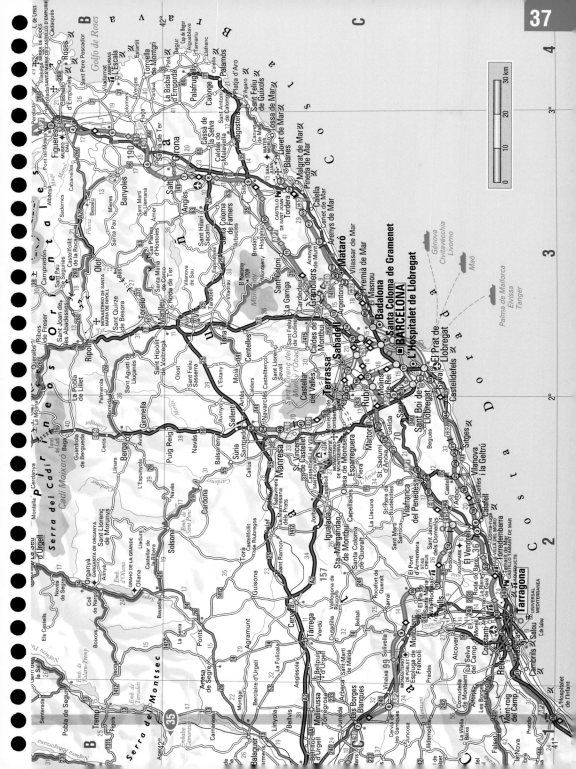

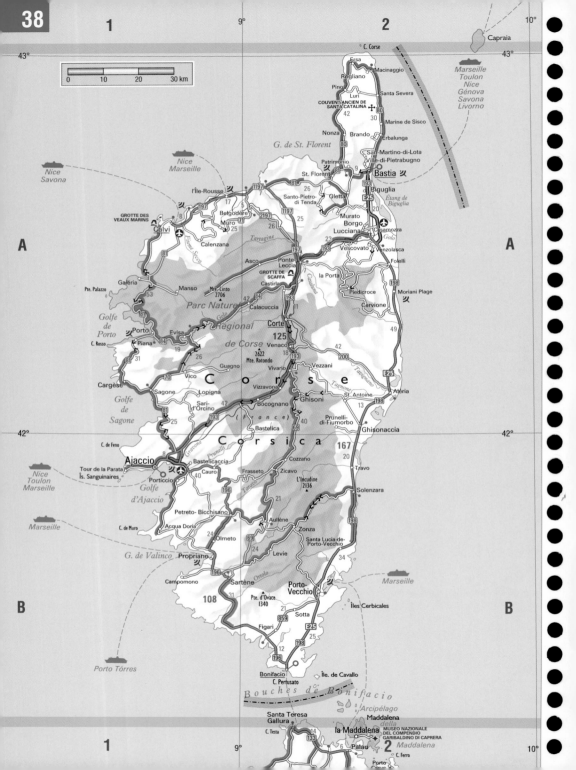

1 9° **2** 10°

43°

C. Corse

Capraia

Marseille
Toulon
Nice
Génova
Savona
Livorno

43°

Ersa
Macinaggio
Rogliano
Pino
Luri
Santa Severa

COUVENT ANCIEN DE
SANTA CATALINA

42
30
Marine de Sisco

Nonza
Brando
Erbalunga

G. de St. Florent

San-Martino-di-Lota
Ville-di-Pietrabugno

Patrimonio

Nice
Marseille

St. Florent
81
Bastia
193

E25

Biguglia
197

l'Île-Rousse
17
26
Santo-Pietro-
di-Tenda
Oletta
Murato
Borgo
Lucciana
Casamozza
Golo

Étang de
Biguglia
20
23

Belgodère
Muro
5
71
25
197
26
25

GROTTE DES
VEAUX MARINS

Calvi
81
8

Calenzana

Vescovato
Venzolasca
193
Folelli
198

A

Galéria
53

Manso
Mte-Cinto
2706

42 84

Asco
Castirla
GROTTE DE
SCAFFA
Ponte
Leccia

la Porta
Piedicroce
Moriani Plage

A

Parc Naturel

Calacuccia
11
193

Cervione

Pte. Palazzo

Régional

Porto
Evisa
84

Corte
125

49

Golfe
de
Porto
81

Piana
19
26
Guagno
Venaco
2622
Mte. Rotondo
18
193

42
200

Vezzani

E25

C. Rosso
81 31

de Corse

Vico
70

Vivario

Cargèse

Sagone

Lopigna

Vizzavona

Ghisoni

St. Antoine
13
198

Ateria

C o r s e

Sari-
d'Orcino
42
193

Bócognano

40

Bastelica
69

Prunelli-
di-Fiumorbo

Golfe
de
Sagone
81
25

(France)

Ghisonaccia

42°

C. de Feno

C o r s i c a
167

42°

Ajaccio
8

Bastelicaccia
Cauro
40

Frasseto
Zicavo

Cozzano
20
Travo

Nice
Toulon
Marseille

Tour de la Parata
Îs. Sanguinaires

Porticcio

L'Incudine
2136

196

Golfe
d'Ajaccio

Petreto- Bicchisano
21

Marseille

Acqua Doria

Aullène

Solenzara

Olmeto
24
69

Zonza
198

C. de Muro

24

Levie

Santa Lucia-de-
Porto-Vecchio

Propriano

34

G. de Valinco

Campomono
196

Sartène

Porto-
Vecchio

Marseille

B

108
31

Pte. d'Ovace
1340

21

Sotta

Îles Cerbicales

B

Figari
859

Porto Tórres

198
25

E25

12
196

Bonifacio
C. Perfusato
Île. de Cavallo

Bouches de Bonifacio

Arcipélago
della

Santa Teresa
Gallura
C. Testa

Maddalena

la Maddalena
133
14

MUSEO NAZIONALE
DEL COMPENDIO
GARIBALDINO DI CAPRERA

Maddalena

1 9° **2** 10°

Palau
6
C. Ferro

City plans

Symbol	Label	Symbol	Label
	Motorway	**GENT**	Destination
	Major through route		Railway
	Through route		Rail / bus station
	Secondary road	Ⓢ Ⓜ Ⓤ Ⓣ	Underground, metro station
	Dual carriageway		Cable car
	Other road	✝	Abbey, cathedral
)——(	Tunnel	†	Church of interest
	Limited access / pedestrian road	✡	Synagogue
—→	One-way street	✚	Hospital
Ⓟ	Parking	POL	Police station
A7	Motorway number	✉	Post office
447	National road number	*i*	Tourist information
E45	European road number	*Theatre*	Place of interest
🚗	Car ferry	*Sorbonne*	Public Building

Approach maps

A10	Toll motorway – with motorway number	**96**	Secondary route dual carriageway
E51	Toll-free motorway – with European road number	**96**	single carriageway
			under construction tunnel
	Pre-pay motorway – vignette required		Other road
◇		···🚗···	Car ferry
	Motorway services	**GIRONA**	Destination
24 24	Motorway junction – full/restricted		Railway
Emilio	Motorway junction name	*Estación Central* ■	Railway station
= = = =	Under construction	)–·–(	Railway tunnel
)······(	Tunnel	234 ▲	Height above sea level – in metres
	Major route	✈	Airport
14	dual carriageway	⊕	Airfield
14	single carriageway		City plan coverage area
= = = =	under construction		
)······(	tunnel		

Amsterdam

0   km   2

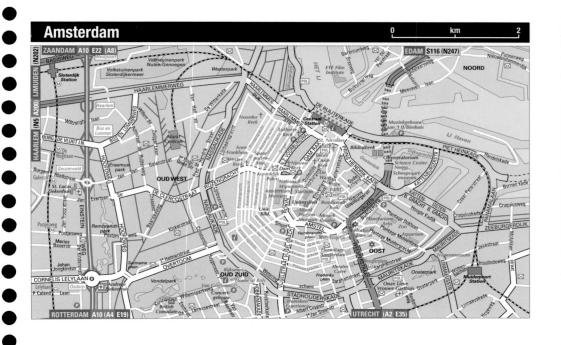

Bruxelles Brussels

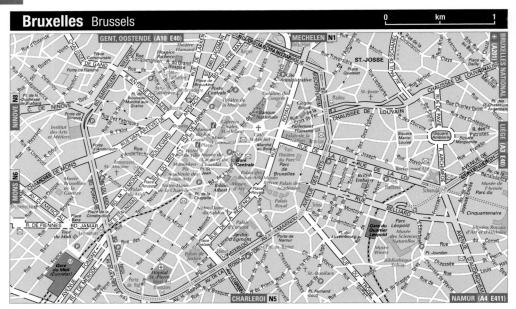

Bordeaux

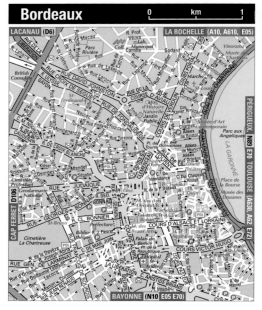

Bordeaux

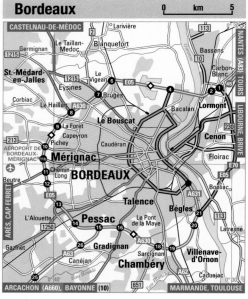

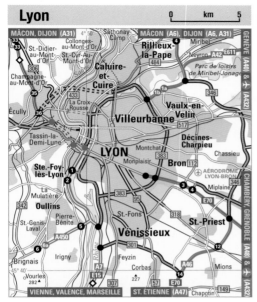

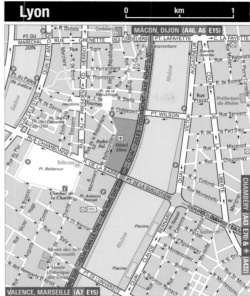

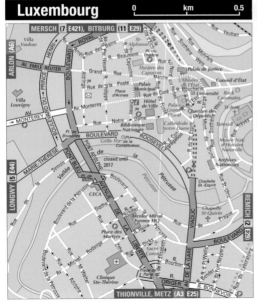

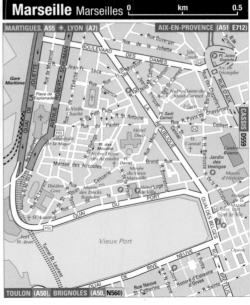

Paris

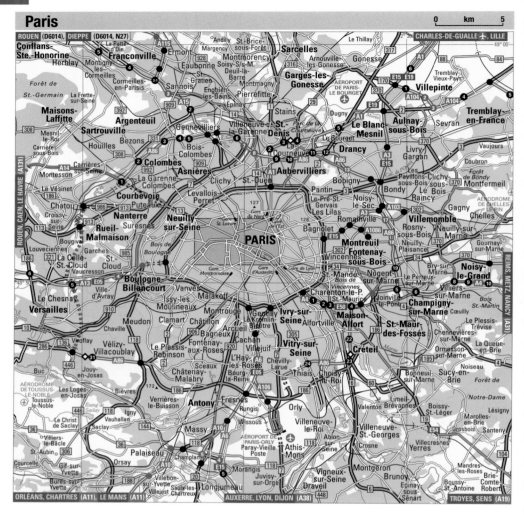

Paris

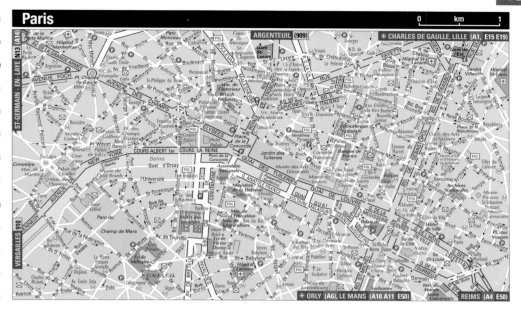

Strasbourg

Strasbourg

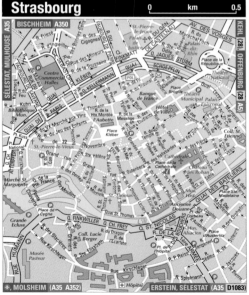

A

Aach D 21 B4
Aachen D 6 B2
Aalsmeer NL 2 B1
Aalst B 5 B4
Aalten NL 3 C3
Aalter B 5 A3
Aarau CH 20 B3
Aarberg CH 20 B2
Aarburg CH 20 B2
Aardenburg NL 5 A3
Aarschot B 5 B4
Abbeville F 10 A1
Abiego E 35 B3
Ablis F 10 C1
Abondance F 26 A3
Abreschviller F 12 C3
Abrest F 25 A3
Abriès F 27 C3
Accéglio I 32 A2
Accous F 35 A3
Achene B 5 B5
Achern D 13 C4
Acheux-en-Amienois F 10 A2
Acqua Doria F 38 B1
Ácqui Terme I 27 C5
Acquigny F 9 A5
Acy-en-Multien F 10 B2
Adeanueva de Ebro E 34 B2
Adelboden CH 20 C2
Adenau D 6 B2
Adinkerke B 4 A2
Adliswil CH 21 B3
Adorf, *Hessen* D 7 A4
Adrall E 37 B2
Aesch CH 20 B2
Affoltern CH 20 B3
Agay F 32 B2
Agde F 30 B2
Agen F 29 B3
Ager E 35 C4
Agnières F 26 C2
Agon Coutainville F 8 A2
Agramunt E 37 C2
Agreda E 34 C3
Aguas E 35 B3
Aguessac F 30 A2
Ahaus D 3 B3
Ahlen D 7 A3
Ahlhorn D 3 B5
Ahun F 24 A2
Aibar E 34 B2
Aigle CH 27 A3
Aignan F 28 C3
Aignay-le-Duc F 18 B3
Aigre F 23 C4
Aigrefeuille-d'Aunis F 22 B3
Aigrefeuille-sur-Maine F 15 B4
Aiguablava E 37 C4
Aiguebelle F 26 B3
Aigueperse F 24 A3
Aigues-Mortes F 31 B3
Aigues-Vives F 30 B1
Aiguilles F 27 C3
Aiguillon F 29 B3
Aigurande F 17 C3
Ailefroide F 26 C3
Aillant-sur-Tholon F 18 B2
Ailly-sur-Noye F 10 B2
Ailly-sur-Somme F 10 B2
Aimargues F 31 B3
Aime F 26 B3
Ainhoa F 34 A2
Ainsa E 35 B4
Airaines F 10 B1
Aire-sur-la-Lys F 4 B2
Aire-sur-l'Adour F 28 C2
Airole I 33 B3
Airolo CH 21 C3
Airvault F 16 C1
Aisey-sur-Seine F 18 B3
Aïssey F 19 B5
Aisy-sur-Armançon F 18 B3
Aitrach D 21 B5
Aix-en-Othe F 18 A2
Aix-en-Provence F 31 B4
Aix-les-Bains F 26 B2
Aixe-sur-Vienne F 23 C5
Aizenay F 22 B2
Ajac F 36 A3
Ajaccio F 38 B1
Ajain F 24 A1
Akkrum NL 2 A2
Ala di Stura I 27 B4
Alagna Valsésia I 27 B4
Alagón E 34 C2
Alássio I 33 A4
Alba I 27 C5
Albalate de Cinca E 35 C4
Alban F 30 B1
Albanyà E 37 B3
Albbruck D 20 B3
Albenga I 33 A4
Albens F 26 B2
Albersloh D 7 A3
Albert F 10 A2
Albertville F 26 B3
Alberuela de Tubo E 35 C3
Albi F 30 B1
Albisola Marina I 33 A4
Albstadt D 21 A4
Alcalá de Gurrea E 34 B3
Alcampell E 35 C4
Alcanadre E 34 B1
Alcolea de Cinca E 35 C4
Alcover E 37 C2
Alcubierre E 35 C3
Aldeapozo E 34 C1
Aldenhoven D 6 B2
Aldudes F 34 A2
Alençon F 9 B4
Alenya F 36 B3
Aléria F 38 A2
Alès F 31 A3
Alet-les-Bains F 36 B3
Aleyrac F 31 A3
Alfaro E 34 B2
Alfarràs E 35 C4
Alfhausen D 3 B4
Alforja E 37 C1
Alguaire E 35 C4
Alinyà E 37 B2
Alixan F 25 C5
Alken B 5 B5
Alkmaar NL 2 B1
Allaines F 17 A3
Allaire F 15 B3
Allanche F 24 B2
Allassac F 29 A4
Allauch F 31 B4
Allègre F 25 B3
Allemont F 26 B3
Allendorf D 7 B4
Allevard F 26 B3
Allmannsdorf D 21 B4
Allo E 34 B1
Allogny F 17 B4
Allones, *Eure et Loire* F 10 C1
Allones, *Maine-et-Loire* F 16 B2
Allonnes F 16 B2
Allons F 28 B2
Allos F 32 A2
Almacelles E 35 C4
Almajano E 34 C1
Alme D 7 A4
Almelo NL 3 B3
Almenar E 35 C4
Almere NL 2 B2
Almese I 27 B4
Almudévar E 35 B3
Alos d'Ensil E 36 B2
Alpen D 6 A2
Alphen aan de Rijn NL 2 B1
Alpignano I 27 B4
Alpirsbach D 13 C4
Alquézar E 35 B4
Alsasua E 34 B1
Alsdorf D 6 B2
Alsfeld D 7 B5
Alstätte D 3 B3
Altdorf CH 21 C3
Altena D 7 A3
Altenberge D 3 B4
Altenheim D 13 C3
Altenhundem D 7 A4
Altenkirchen, *Radom* D 7 B3
Altensteig D 13 C4
Altkirch F 20 B2
Altshausen D 21 B4
Altstätten CH 21 B4
Altusried D 21 B5
Alvignac F 29 B4
Alvimare F 9 A4
Alzénau D 13 A5
Alzey D 13 B4
Alzonne F 36 A3
Amance F 19 B5
Amancey F 19 B5
Amay B 5 B5
Ambazac F 23 C5
Ambérieu-en-Bugey F 26 B2
Ambérieux-en-Dombes F 25 A4
Ambert F 25 B3
Ambès F 28 A2
Ambleteuse F 4 B1
Amboise F 16 B2
Ambrières-les-Vallées F 8 B3
Amden CH 21 B4
Amel B 6 B2
Amélie-les-Bains-Palalda F 36 B3
Amer E 37 B3
Amerongen NL 2 B2
Amersfoort NL 2 B2
Amiens F 10 B2
Amou F 28 C2
Amplepuis F 25 B4
Amriswil CH 21 B4
Amstelveen NL 2 B1
Amsterdam NL 2 B1
Amtzell D 21 B4
Ancenis F 15 B4
Ancerville F 11 C5
Ancy-le-Franc F 18 B3
Andance F 25 B4
Andeer CH 21 C4
Andelfingen CH 21 B3
Andelot F 19 A4
Andelot-en-Montagne F 19 C4
Andenne B 5 B5
Anderlues B 5 B4
Andermatt CH 21 C3
Andernach D 6 B3
Andernos-les-Bains F 28 B1
Andijk NL 2 B2
Andoain E 34 A1
Andolsheim F 20 A2
Andorra La Vella AND 36 B2
Andosilla E 34 B2
Andrest F 35 A4
Andrezieux-Bouthéon F 25 B4
Anduze F 31 A2
Anet F 10 C1
Angaïs F 35 A3
Angers F 16 B1
Angerville F 10 C2
Anglès E 37 C3
Anglés, *Tarn* F 30 B1
Angles, *Vendée* F 22 B2
Angles sur l'Anglin F 23 B4
Anglesola E 37 C2
Anglet F 28 C1
Anglure F 11 C3
Angoulême F 23 C4
Angoulins F 22 B2
Angües E 35 B3
Anhée B 5 B4
Aniane F 30 B2
Aniche F 4 B3
Anizy-le-Château F 11 B3
Ankum D 3 B4
Anlezy F 18 C2
Annecy F 26 B3
Annemasse F 26 A3
Annevoie-Rouillon B 5 B4
Annonay F 25 B4
Annot F 32 B2
Annweiler D 13 B3
Anould F 20 A1
Anröchte D 7 A4
Anse F 25 B4
Anserœul B 5 B3
Ansó E 34 B3
Ansoain E 34 B2
Antibes F 32 B3
Antoing B 5 B3
Antrain F 8 B2
Antronapiana I 27 A5
Antwerp = Antwerpen B 5 A4
Antwerpen = Antwerp B 5 A4
Anvin F 4 B2
Anzat-le-Luguet F 24 B3
Anzón E 34 C2
Aoiz E 34 B2
Aosta I 27 B4
Apeldoorn NL 2 B2
Apen D 3 A4
Appenzell CH 21 B4
Appingedam NL 3 A3
Appoigny F 18 B2
Apremont-la-Forêt F 12 C1
Apt F 31 B4
Aragnouet F 35 B4
Aramits F 34 A3
Aramon F 31 B3
Arbas F 35 B4
Arbeca E 37 C1
Arbois F 19 C4
Arbon CH 21 B4
Arbório I 27 B5
Arbùcies E 37 C3
Arc-en-Barrois F 19 B3
Arc-et-Senans F 19 B4
Arc-lès-Gray F 19 B4
Arc-sur-Tille F 19 B4
Arcachon F 28 B1
Arcen NL 6 A2
Arces-Dilo F 18 A2
Arcey F 20 B1
Archiac F 23 C3
Arcis-sur-Aube F 11 C4
Arcusa E 35 B4
Arcy-sur-Cure F 18 B2
Ardentes F 17 C3
Ardes F 24 B3
Ardez CH 21 C5
Ardisa E 34 B3
Ardooie B 4 B3
Ardres F 4 B1
Arendonk B 5 A5
Arengosse F 28 B2
Arenys de Mar E 37 C3
Arenys de Munt E 37 C3
Arenzano I 33 A4
Areo E 36 B2
Arès F 28 B1
Arette F 34 A3
Arfeuilles F 25 A3
Argelès-Gazost F 35 A3
Argelès-sur-Mer F 36 B4
Argent-sur-Sauldre F 17 B4
Argentan F 9 B3
Argentat F 24 B1
Argentera I 32 A2
Argenteuil F 10 C2
Argenthal D 13 B3
Argenton-Château F 16 C1
Argenton-sur-Creuse F 17 C3
Argentona E 37 C3
Argentré F 16 A1
Argentré-du-Plessis F 15 A4
Arguedas E 34 B2
Argueil F 10 B1
Aribe E 34 B2
Arinthod F 26 A2
Arlanc F 25 B3
Arlebosc F 25 B4
Arles F 31 B3
Arles-sur-Tech F 36 B3
Arlon B 12 B1
Armeno I 27 B5
Armentières F 4 B2
Arnac-Pompadour F 23 C5
Arnage F 16 B2
Arnas F 25 A4
Arnay-le-Duc F 18 B3
Arnedillo E 34 B1
Arnedo E 34 B1
Arneguy F 34 A2
Arnhem NL 2 C2
Arnsberg D 7 A4
Arolla CH 27 A4
Arolsen D 7 A5
Arona I 27 B5
Arosa CH 21 C4
Arpajon F 10 C2
Arpajon-sur-Cère F 24 C2
Arques F 4 B2
Arques-la-Bataille F 9 A5
Arrancourt F 12 C2
Arras F 4 B2
Arreau F 35 B4
Arrens-Marsous F 35 B3
Arromanches-les-Bains F 8 A3
Arroniz E 34 B1
Arrou F 17 A3
Ars-en-Ré F 22 B2
Ars-sur-Moselle F 12 B2
Arsac F 28 B2
Artajona E 34 B2
Artemare F 26 B2
Artenay F 17 A3
Artés E 37 C2
Artesa de Segre E 37 C2
Arth CH 21 B3
Arthez-de-Béarn F 35 A3
Arthon-en-Retz F 15 B4
Artieda E 34 B3
Artix F 35 A3
Arudy F 35 A3
Arveyres F 28 B2
Arvieux F 26 C3
Arzacq-Arraziguet F 28 C2
Arzano F 14 B2
As B 6 A1
Asasp F 35 A3
Ascain F 34 A2
Aschaffenburg D 13 B5
Ascheberg, *Nordrhein-Westfalen* D 7 A3
Aschendorf D 3 A4
Asco F 38 A2
Ascoux F 17 A4
Asfeld F 11 B4
Aspet F 35 A4
Aspres-sur-Buëch F 32 A1
Asse B 5 B4
Asselborn L 12 A1
Assen NL 3 B3
Assenede B 5 A3
Assesse B 5 B5
Asson F 35 A3
Astaffort F 29 B3
Asten NL 6 A1
Asti I 27 C5
Ath B 5 B3
Athies F 10 B2
Athies-sous-Laon F 11 B3
Attendorn D 7 A3
Attichy F 10 B3
Attigny F 11 B4
Au, *Vorarlberg* A 21 B4
Aubagne F 32 B1
Aubange B 12 B1
Aubel B 6 B1
Aubenas F 25 C4
Aubenton F 11 B4
Auberive F 19 B4
Aubeterre-sur-Dronne F 28 A3
Aubiet F 29 C3
Aubigné F 23 B3
Aubigny F 22 B2
Aubigny-au-Bac F 4 B3
Aubigny-en-Artois F 4 B2
Aubigny-sur-Nère F 17 B4
Aubin F 30 A1
Aubonne CH 19 C5
Aubrac F 24 C2
Aubusson F 24 B2
Auch F 29 C3
Auchy-au-Bois F 4 B2
Audenge F 28 B1
Auderville F 8 A2
Audierne F 14 A1
Audincourt F 20 B1
Audruicq F 4 B2
Audun-le-Roman F 12 B1
Audun-le-Tiche F 12 B1
Aue, *Nordrhein-Westfalen* D 7 A4
Augignac F 23 C4
Augustfehn D 3 A4
Aulendorf D 21 B4
Aullène F 38 B2
Aulnay F 23 B3
Aulnoye-Aymeries F 5 B3
Ault F 10 A1
Aulus-les-Bains F 36 B2
Aumale F 10 B1
Aumetz F 12 B1
Aumont-Aubrac F 24 C3
Aunay-en-Bazois F 18 B2
Aunay-sur-Odon F 8 A3
Auneau F 10 C1
Auneuil F 10 B1
Aups F 32 B2
Auray F 14 B3
Aurich D 3 A4
Aurignac F 35 A4
Aurillac F 24 C2
Auriol F 32 B1
Auritz-Burguette E 34 B2
Auros F 28 B2
Auroux F 25 C3
Auterive F 36 A2
Autheuil-Authouillet F 9 A5
Authon F 32 A2
Authon-du-Perche F 16 A2
Autol E 34 B2
Autreville F 12 C1
Autrey-lès-Gray F 19 B4
Autun F 18 C3
Auty-le-Châtel F 17 B4
Auvelais B 5 B4
Auvillar F 29 B3
Auxerre F 18 B2
Auxi-le-Château F 4 B2
Auxon F 18 A2
Auxonne F 19 B4
Auxy F 18 C3
Auzances F 24 A2
Auzon F 25 B3
Availles-Limouzine F 23 B4
Avallon F 18 B2
Avelgem B 5 B3
Avenches CH 20 C2
Avesnes-le-Comte F 4 B2
Avesnes-sur-Helpe F 11 A3
Avià E 37 B2
Avigliana I 27 B4
Avignon F 31 B3
Avilley F 19 B5
Avinyo E 37 C2
Avioth F 12 B1
Avize F 11 C4
Avon F 10 C2
Avord F 17 B4
Avranches F 8 B2
Avril F 12 B1
Avrillé F 16 B1
Awans B 5 B5
Ax-les-Thermes F 36 B2
Axat F 36 B3
Axel NL 5 A3
Ay F 11 B4
Aya E 34 A1
Ayer CH 27 A4
Ayerbe E 34 B3
Ayette F 4 B2
Ayron F 23 B4
Aywaille B 6 B1
Azannes-et-Soumazannes F 12 B1
Azanúy-Alins E 35 C4
Azay-le-Ferron F 23 B5
Azay-le-Rideau F 16 B2
Azé F 25 A4
Azpeitia E 34 A1
Azur F 28 C1

B

Baad A 21 B5
Baar CH 21 B3
Baarle-Nassau B 5 A4
Baarn NL 2 B2
Babenhausen, *Bayern* D 21 A5
Babenhausen, *Hessen* D 13 B4
Baccarat F 12 C2
Bacharach D 13 A3
Bacqueville-en-Caux F 9 A5
Bad Bentheim D 3 B4
Bad Bergzabern D 13 B3
Bad Berleburg D 7 A4
Bad Breisig D 6 B3
Bad Buchau D 21 A4
Bad Camberg D 7 B4
Bad Driburg D 7 A5
Bad Dürkheim D 13 B4
Bad Dürrheim D 21 A3
Bad Ems D 7 B3
Bad Essen D 3 B5
Bad Friedrichshall D 13 B5
Bad Herrenalb D 13 C4
Bad Homburg D 7 B4
Bad Honnef D 6 B3
Bad Hönningen D 6 B3
Bad Iburg D 3 B5
Bad Inner-laterns A 21 B4
Bad Karlshafen D 7 A5
Bad Kemmeriboden CH 20 C2
Bad König D 13 B5
Bad Kreuznach D 13 B3
Bad Krozingen D 20 B2
Bad Laasphe D 7 B4
Bad Liebenzell D 13 C4
Bad Lippspringe D 7 A4
Bad Meinberg D 7 A4
Bad Münstereifel D 6 B2
Bad Nauheim D 7 B4
Bad Neuenahr-Ahrweiler D 6 B3
Bad Orb D 7 B5
Bad Peterstal D 13 C4
Bad Ragaz CH 21 C4
Bad Rappenau D 13 B5
Bad Säckingen D 20 B2
Bad Salzig D 7 B3
Bad Sassendorf D 7 A4
Bad Schönborn D 13 B4
Bad Schussenried D 21 A4
Bad Schwalbach D 7 B4
Bad Soden D 7 B4
Bad Soden-Salmünster D 7 B5
Bad Vilbel D 7 B4
Bad Waldsee D 21 B4
Bad Wildungen D 7 A5
Bad Wurzach D 21 B4
Bad Zwesten D 7 A5
Bad Zwischenahn D 3 A5
Badalona E 37 C3
Badalucco I 33 B3
Baden CH 20 B3
Baden-Baden D 13 C4
Badenweiler D 20 B2
Badonviller F 12 C2
Baells E 35 C4
Baesweiler D 6 B2
Baflo NL 3 A3
Baga E 37 B2
Bagnasco I 33 A4
Bagnères-de-Bigorre F 35 A4
Bagnères-de-Luchon F 35 B4
Bagnoles-de-l'Orne F 9 B3
Bagnols-en-Forêt F 32 B2
Bagnols-sur-Cèze F 31 A3
Baiersbronn D 13 C4
Baignes-Ste. Radegonde F 23 C3
Baigneux-les-Juifs F 18 B3
Baileux B 11 A4
Bailleul F 4 B2
Baillonville B 5 B5
Bailó E 34 B3
Bain-de-Bretagne F 15 B4
Bains F 25 B3
Bains-les-Bains F 19 A5
Bais F 9 B3
Bakum D 3 B5
Balaguer E 35 C4
Balbigny F 25 B4
Balen B 5 A5
Balingen D 21 A3
Balizac F 28 B2
Balk NL 2 B2
Balkbrug NL 3 B3
Ballancourt-sur-Essonne F 10 C2
Ballerias E 35 C3
Balleroy F 8 A3
Ballon F 16 A2
Balme I 27 B4
Balmuccia I 27 B5
Balneario de Panticosa E 35 B3
Balsareny E 37 C2
Balsthal CH 20 B2
Balve D 7 A3
Bande B 5 B5
Bandol F 32 B1
Bangor F 14 B2
Bannalec F 14 B2
Bannes F 11 C3
Banon F 32 A1
Bantheville F 11 B5
Bantzenheim F 20 B2
Banyoles E 37 B3
Banyuls-sur-Mer F 36 B4
Bapaume F 10 A2
Bar-le-Duc F 11 C5
Bar-sur-Aube F 18 A3
Bar-sur-Seine F 18 A3
Barañain E 34 B2
Baraqueville F 30 A1
Barasoain E 34 B2
Barbastro E 35 B4
Barbâtre F 22 B1
Barbazan F 35 A4
Barbentane F 31 B3
Barbezieux-St. Hilaire F 23 C3
Barbonne-Fayel F 11 C3
Barbotan-les-Thermes F 28 C2
Bárcabo E 35 B4
Barcelona E 37 C3
Barcelonette F 32 A2
Barcus F 34 A3
Bardonécchia I 26 B3
Barèges F 35 B4
Barentin F 9 A4
Barenton F 8 B3
Barfleur F 8 A2
Barge I 27 C4
Bargemon F 32 B2
Barjac F 31 A3
Barjols F 32 B1
Barjon F 19 B3
Barles F 32 A2
Barneveld NL 2 B2
Barneville-Carteret F 8 A2
Baron F 10 B2
Barr F 13 C3
Barre-des-Cevennes F 30 A2
Barrême F 32 B2
Barret-le-Bas F 32 A1
Barruera E 35 B4
Barssel D 3 A4
Barvaux B 6 B1
Bas E 37 B3
Basécles B 5 B3
Basel CH 20 B2
Bassecourt CH 20 B2
Bassella E 37 B2
Bassou F 18 B2
Bassoues F 28 C3
Bastelica F 38 A2
Bastelicaccia F 38 B1
Bastia F 38 A2
Bastogne B 12 A1

Bätterkinden CH 20 B2
Battice B 6 B1
Baud F 14 B2
Baudour B 5 B3
Baugé F 16 B1
Baugy F 17 B4
Bauma CH 21 B3
Baume-les-Dames F 19 B5
Baumholder D 13 B3
Baunatal D 7 A5
Bavay F 5 B3
Bavilliers F 20 B1
Bawinkel D 3 B4
Bayel F 19 A3
Bayeux F 8 A3
Bayon F 12 C2
Bayonne F 28 C1
Bayons F 32 A2
Bazas F 28 B2
Baziege F 36 A2
Bazoches-les-Gallerandes F 17 A4
Bazoches-sur-Hoëne F 9 B4
Beasain E 34 A1
Beaubery F 25 A4
Beaucaire F 31 B3
Beaufort F 26 B3
Beaufort-en Vallée F 16 B1
Beaugency F 17 B3
Beaujeu, *Alpes-de-Haute-Provence* F 32 A2
Beaujeu, *Rhône* F 25 A4
Beaulac F 28 B2
Beaulieu F 17 B4
Beaulieu-sous-la-Roche F 22 B2
Beaulieu-sur-Dordogne F 29 B4
Beaulieu-sur-Mer F 33 B3
Beaulon F 18 C2
Beaumesnil F 9 A4
Beaumetz-lès-Loges F 4 B2
Beaumont B 5 B4
Beaumont F 29 B3
Beaumont-de-Lomagne F 29 C3
Beaumont-du-Gâtinais F 17 A4
Beaumont-en-Argonne F 11 B5
Beaumont-Hague F 8 A2
Beaumont-la-Ronce F 16 B2
Beaumont-le-Roger F 9 A4
Beaumont-sur-Oise F 10 B2
Beaumont-sur-Sarthe F 16 A2
Beaune F 19 B3
Beaune-la-Rolande F 17 A4
Beaupréau F 15 B5
Beauraing B 11 A4
Beaurepaire F 25 B5
Beaurepaire-en-Bresse F 19 C4
Beaurières F 32 A1
Beauvais F 10 B2
Beauval F 10 A2
Beauville F 29 B3
Beauvoir-sur-Mer F 22 B1
Beauvoir-sur-Niort F 22 B3
Bécherel F 15 A4
Beckum D 7 A4
Bécon-les-Granits F 16 B1
Bédarieux F 30 B2
Bédarrides F 31 A3
Bedburg D 6 B2
Bédée F 15 A4
Bédoin F 31 A4
Bedretto CH 21 C3
Bedum NL 3 A3
Beek en Donk NL 6 A1
Beekbergen NL 2 B2
Beelen D 3 C5
Beerfelden D 13 B4
Beernem B 4 A3
Beetsterzwaag NL 2 A3
Beflelay CH 20 B2
Bégard F 14 A2
Begijnendijk B 5 A4
Begues E 37 C2
Begur E 37 C4
Beho B 6 B1
Beilen NL 3 B3
Beine-Nauroy F 11 B4
Beinwil CH 20 B3
Bélâbre F 23 B5
Belcaire F 36 B2
Belecke D 7 A4
Bélesta F 36 B2
Belfort F 20 B1
Belgentier F 32 B1
Belgodère F 38 A2
Belhade F 28 B2
Belin-Bèliet F 28 B2
Bellac F 23 B5
Belle-Isle-en-Terre F 14 A2
Belleau F 10 B3
Bellegarde, *Gard* F 31 B3
Bellegarde, *Loiret* F 17 B4
Bellegarde-en-Diois F 32 A1
Bellegarde-en-Marche F 24 B2
Bellegarde-sur-Valserine F 26 A2
Bellême F 9 B4
Bellenaves F 24 A3
Bellentre F 26 B3
Bellevaux F 26 A3
Bellevesvre F 19 C4
Belleville F 25 A4
Belleville-sur-Vie F 22 B2
Bellevue-la-Montagne F 25 B3
Belley F 26 B2
Bellheim D 13 B4
Bellpuig d'Urgell E 37 C2
Belltall E 37 C2
Bellver de Cerdanya E 36 B2
Bellvis E 37 C1
Belmont-de-la-Loire F 25 A4
Belmont-sur-Rance F 30 B1
Belœil B 5 B3
Belp CH 20 C2
Belpech F 36 A2
Belvès F 29 B3
Belvezet F 30 A2
Belz F 14 B2
Bemmel NL 6 A1
Benabarre E 35 B4
Benasque E 35 B4
Bendorf D 7 B3
Bene Vagienna I 33 A3
Bénestroff F 12 C2
Benet F 22 B3
Bénévent-l'Abbaye F 24 A1
Benfeld F 13 C3
Bénodet F 14 B1
Bensheim D 13 B4
Bérat F 36 A2
Berbegal E 35 C3
Bercenay-le-Hayer F 11 C3
Berchem B 5 B3
Berck F 4 B1
Berclaire d'Urgell E 37 C1
Berdún E 34 B3
Berga E 37 B2
Berge, *Niedersachsen* D 3 B4
Bergen NL 2 B1
Bergen op Zoom NL 5 A4
Bergerac F 29 B3
Bergères-lés-Vertus F 11 C4
Bergeyk NL 5 A5
Berghausen D 13 C4
Bergheim D 6 B2
Bergisch Gladbach D 6 B3
Bergkamen D 7 A3
Bergneustadt D 7 A3
Bergues F 4 B2
Bergum NL 2 A2
Bergün Bravuogn CH 21 C4
Beringen B 5 A5
Berkheim D 21 A5
Berlikum NL 2 A2
Bern CH 20 C2
Bernau, *Baden-Württemberg* D 20 B3
Bernaville F 10 A2
Bernay F 9 A4
Bernkastel-Kues D 12 B3
Bernués E 35 B3
Beromünster CH 20 B3
Berre-l'Etang F 31 B4
Bersenbrück D 3 B4
Berthelming F 12 C2
Bertincourt F 10 A2
Bertogne B 12 A1
Bertrix B 11 B5
Berville-sur-Mer F 9 A4
Besalú E 37 B3
Besançon F 19 B5
Besenfeld D 13 C4
Besigheim D 13 C5
Besle F 15 B4
Bessais-le-Fromental F 17 C4
Bessan F 30 B2
Besse-en-Chandesse F 24 B2
Bessé-sur-Braye F 16 B2
Bessèges F 31 A3
Bessines-sur-Gartempe F 23 B5
Best NL 5 A5
Betelu E 34 A2
Béthenville F 11 B4
Béthune F 4 B2
Beton-Bazoches F 10 C3
Bettembourg L 12 B2
Betterdorf L 12 B2
Betz F 10 B2
Betzdorf D 7 B3
Beuil F 32 A2
Beuzeville F 9 A4
Beveren B 5 A4
Bevern D 7 A5
Beverungen D 7 A5
Beverwijk NL 2 B1
Bex CH 27 A4
Beychevelle F 28 A2
Beynat F 29 A4
Bezau A 21 B4
Bèze F 19 B4
Bezenet F 24 A2
Béziers F 30 B2
Biandrate I 27 B5
Biarritz F 34 A2
Bias F 28 B1
Biberach, *Baden-Württemberg* D 21 A4
Biberach, *Baden-Württemberg* D 13 C4
Biblis D 13 B4
Bidache F 28 C1
Bidart F 34 A2
Biddinghuizen NL 2 B2
Bieber D 7 B5
Biedenkopf D 7 B4
Biel/Bienne CH 20 B2
Biel E 34 B3
Biella I 27 B5
Bielsa E 35 B4
Bierné F 16 B1
Bierwart B 5 B5
Biescas E 35 B3
Bietigheim-Bissingen D 13 C5
Bièvre B 11 B5
Biganos F 28 B2
Bignasco CH 27 A5
Biguglia F 38 A2
Billerbeck D 3 C4
Billom F 24 B3
Bilstein D 7 A4
Bilthoven NL 2 B2
Bilzen B 6 B1
Binaced E 35 C4
Binche B 5 B4
Binefar E 35 C4
Bingen D 13 B3
Binic F 14 A3
Bionaz I 27 B4
Birkenfeld, *Baden-Württemberg* D 13 C4
Birkenfeld, *Rheinland-Pfalz* D 12 B3
Birresborn D 6 B2
Birstein D 7 B5
Biscarosse F 28 B1
Biscarosse Plage F 28 B1
Biscarrués E 34 B3
Bischheim F 13 C3
Bischofszell CH 21 B4
Bischwiller F 13 C3
Bisingen D 13 C4
Bissen L 12 B2
Bissendorf D 3 B5
Bistango I 27 C5
Bitburg D 12 B2
Bitche F 13 B3
Bitschwiller F 20 B2
Biville-sur-Mer F 9 A5
Biwer L 12 B2
Blacy F 11 C4
Blagnac F 29 C4
Blaichach D 21 B5
Blain F 15 B4
Blainville-sur-l'Eau F 12 C2
Blajan F 35 A4
Blâmont F 12 C2
Blanes E 37 C3
Blangy-sur-Bresle F 10 B1
Blankenberge B 4 A3
Blankenheim D 6 B2
Blanquefort F 28 B2
Blanzac F 23 C4
Blanzy F 18 C3
Blaricum NL 2 B2
Blatten CH 27 A4
Blatzheim D 6 B2
Blaye F 28 A2
Blaye-les-Mines F 30 A1
Blecua E 35 B3
Bleichenbach D 7 B5
Bléneau F 18 B1
Blérancourt F 10 B3
Bléré F 16 B2
Blesle F 24 B3
Blet F 17 C4
Bletterans F 19 C4
Blieskastel D 12 B3
Bligny-sur-Ouche F 18 B3
Blois F 17 B3
Blokzijl NL 2 B2
Blonville-sur-Mer F 9 A4
Bludenz A 21 B4
Blumberg D 21 B3
Bóbbio Pellice I 27 C4
Bobigny F 10 C2
Böblingen D 13 C5
Bocholt B 6 A1
Bocholt D 6 A2
Bochum D 6 A3
Bockhorn D 3 A5
Bocognano F 38 A2
Bödefeld-Freiheit D 7 A4
Boëge F 26 A3
Boën F 25 B3
Bognanco Fonti I 27 A5
Bohain-en-Vermandois F 11 B3
Bohmte D 3 B5
Bois-d'Amont F 19 C5
Boisseron F 31 B3
Boixols E 37 B2
Bolbec F 9 A4
Bolea E 35 B3
Bollène F 31 A3
Bologne F 19 A4
Bolsward NL 2 A2
Boltaña E 35 B4
Boltigen CH 20 C2
Bolzaneto I 33 A4
Bon-Encontre F 29 B3
Bona F 18 B2
Bonaduz CH 21 C4
Bondorf D 13 C4
Bonifacio F 38 B2
Bonigen CH 20 C2
Bonn D 6 B3
Bonnat F 24 A1
Bonndorf D 20 B3
Bonnétable F 16 A2
Bonnétage F 20 B1
Bonneuil-les-Eaux F 10 B2
Bonneuil-Matours F 23 B4
Bonneval F 17 A3
Bonneval-sur-Arc F 27 B4
Bonneville F 26 A3
Bonnières-sur-Seine F 10 B1
Bonnieux F 31 B4
Bönnigheim D 13 B5
Bonny-sur-Loire F 17 B4
Bono E 35 B4
Boom B 5 A4
Boos F 9 A5
Boppard D 7 B3
Boran-sur-Oise F 10 B2
Borculo NL 3 B3
Bordeaux F 28 B2
Bordighera I 33 B3
Borgentreich D 7 A5
Börger D 3 B4
Borger NL 3 B3
Borghetto d'Arróscia I 33 A3
Borghetto Santo Spirito I 33 A4
Borghorst D 3 B4
Borgloon B 5 B5
Borgo F 38 A2
Borgo San Dalmazzo I 33 A3
Borgo Vercelli I 27 B5
Borgofranco d'Ivrea I 27 B4
Borgomanero I 27 B5
Borgomasino I 27 B4
Borgosésia I 27 B5
Borja E 34 C2
Bork D 6 A3
Borken D 6 A2
Borkum D 3 A3
Bormes-les-Mimosas F 32 B2
Bórmio I 21 C5
Borne NL 3 B3
Bornheim D 6 B2
Borredá E 37 B2
Bort-les-Orgues F 24 B2
Bösel D 3 A4
Boskoop NL 2 B1
Bossast E 35 B4
Bossolasco I 33 A4
Bottendorf D 7 A4
Bottrop D 6 A2
Bötzingen D 20 A2
Bouaye F 15 B4
Boucau F 28 C1
Bouchain F 4 B3
Bouchoir F 10 B2
Boudreville F 19 B3
Boudry CH 20 C1
Bouesse F 17 C3
Bouguenais F 15 B4
Bouhy F 18 B2
Bouillargues F 31 B3
Bouillon B 11 B5
Bouilly F 18 A2
Bouin F 22 B2
Boulay-Moselle F 12 B2
Boulazac F 29 A3
Boule-d'Amont F 36 B3
Bouligny F 12 B1
Boulogne-sur-Gesse F 35 A4
Boulogne-sur-Mer F 4 B1
Bouloire F 16 B2
Bouquemaison F 4 B2
Bourbon-Lancy F 18 C2
Bourbon-l'Archambault F 18 C2
Bourbonne-les-Bains F 19 B4
Bourbourg F 4 B2
Bourbriac F 14 A2
Bourcefranc-le-Chapus F 22 C2
Bourdeaux F 31 A4
Bouresse F 23 B4
Bourg F 28 A2
Bourg-Achard F 9 A4
Bourg-Argental F 25 B4
Bourg-de-Péage F 25 B5
Bourg-de-Thizy F 25 A4
Bourg-de-Visa F 29 B3
Bourg-en-Bresse F 26 A2
Bourg-et-Comin F 11 B3
Bourg-Lastic F 24 B2
Bourg-Madame F 36 B2
Bourg-St. Andéol F 31 A3
Bourg-St. Maurice F 27 B3
Bourganeuf F 24 B1
Bourges F 17 B4
Bourgneuf-en-Retz F 22 A2
Bourgogne F 11 B4
Bourgoin-Jallieu F 26 B2
Bourgtheroulde F 9 A4
Bourgueil F 16 B2
Bourmont F 19 A4
Bourneville F 9 A4
Bournezeau F 22 B2
Bourran F 29 B3
Bourret F 29 C4
Bourron-Marlotte F 10 C2
Boussac F 24 A2
Boussens F 35 A4
Boutersem B 5 B4
Bouttencourt F 10 B1
Bouvières F 31 A4
Bouvron F 15 B4
Bouxwiller F 13 C3
Bouzonville F 12 B2
Bòves I 33 A3
Boxmeer NL 6 A1
Boxtel NL 5 A5
Bozouls F 30 A1
Bra I 27 C4
Bracieux F 17 B3
Brackenheim D 13 B5
Braine F 11 B3
Braine-le-Comte B 5 B4
Braives B 5 B5
Brakel B 5 B3
Brakel D 7 A5
Bram F 36 A3
Bramafan F 32 B2
Bramsche D 3 B4
Brand, *Vorarlberg* A 21 B4
Brando F 38 A2
Branne F 28 B2
Brantôme F 23 C4
Bras d'Asse F 32 B2
Brasparts F 14 A2
Brassac, *Charente* F 23 C3
Brassac, *Tarn* F 30 B1
Brassac-les-Mines F 24 B3
Brasschaat B 5 A4
Braubach D 7 B3
Braunfels D 7 B4
Bray Dunes F 4 A2
Bray-sur-Seine F 10 C3
Bray-sur-Somme F 10 B2
Brazey-en-Plaine F 19 B4
Brécey F 8 B2
Brechen D 7 B4
Brecht B 5 A4
Brecketfeld D 6 A3
Brécy F 17 B4
Breda E 37 C3
Breda NL 5 A4
Bredelar D 7 A4
Bree B 6 A1
Bregenz A 21 B4
Bréhal F 8 B2
Breidenbach F 13 B3
Breil-sur-Roya F 33 B3
Breisach D 20 A2
Breitenbach CH 20 B2
Breitenbach D 7 B5
Brem-sur-Mer F 22 B2
Bremgarten CH 20 B3
Brénod F 26 A2
Brensbach D 13 B4
Breskens NL 5 A3
Bresles F 10 B2
Bressuire F 16 C1
Brest F 14 A1
Bretenoux F 29 B4
Breteuil, *Eure* F 9 B4
Breteuil, *Oise* F 10 B2
Brétigny-sur-Orge F 10 C2
Bretten D 13 B4
Bretteville-sur-Laize F 9 A3
Breuil-Cervínia I 27 B4
Breukelen NL 2 B2
Bréziers F 32 A2
Brezolles F 9 B5
Briançon F 26 C3
Brianconnet F 32 B2
Briare F 17 B4
Briatexte F 29 C4
Briaucourt F 19 A4
Bricquebec F 8 A2
Brie-Comte-Robert F 10 C2
Briec F 14 A1
Brienne-le-Château F 11 C4
Brienon-sur-Armançon F 18 B2
Brienz CH 20 C3
Briey F 12 B1
Brig CH 27 A5
Brignogan-Plage F 14 A1
Brignoles F 32 B2
Brillon-en-Barrois F 11 C5
Brilon D 7 A4
Brinon-sur-Beuvron F 18 B2
Brinon-sur-Sauldre F 17 B4
Brionne F 9 A4
Brioude F 25 B3
Brioux-sur-Boutonne F 23 B3
Briouze F 9 B3
Briscous F 34 A2
Brissac-Quincé F 16 B1
Brive-la-Gaillarde F 29 A4
Brocas F 28 B2
Brock D 3 B4
Broden-bach D 6 B3
Broglie F 9 B4
Bromont-Lamothe F 24 B2
Broons F 15 A3
Broquies F 30 A1
Broto E 35 B3
Brou F 17 A3
Brouage F 22 C2
Broût-Vernet F 24 A3
Brouvelieures F 20 A1
Brouwershaven NL 5 A3
Bruay-la-Buissière F 4 B2
Bruchsal D 13 B4
Brue-Auriac F 32 B1
Bruen CH 21 C3
Bruère-Allichamps F 17 C4
Brugg CH 20 B3
Brugge B 4 A3
Brüggen D 6 A2
Brühl D 6 B2
Bruinisse NL 5 A4
Brûlon F 16 B1
Brumath F 13 C3
Brummen NL 2 B3
Brunehamel F 11 B4
Brünen D 6 A2
Brunnen CH 21 C3
Brunssum NL 6 B1
Brusasco I 27 B5
Brusque F 30 B1
Brussels = Bruxelles B 5 B4
Brusson I 27 B4
Bruxelles = Brussels B 5 B4
Bruyères F 20 A1
Bruz F 15 A4
Bubbio I 27 C5
Bubry F 14 B2
Buchboden A 21 B4
Buchenberg D 21 B5
Buchères F 18 A3
Buchs CH 21 B4
Buchy F 9 A5
Bucy-lés-Pierreport F 11 B3
Büdingen D 7 B5
Bugeat F 24 B1
Bühl, *Baden-Württemberg* D 13 C4
Bühl, *Bayern* D 21 B5
Bühlertal D 13 C4
Buis-les-Baronnies F 31 A4
Buitenpost NL 2 A3
Bülach CH 21 B3
Bulgnéville F 19 A4
Bulle CH 20 C2
Büllingen B 6 B2
Bunde, *Niedersachsen* D 3 A4
Bunsbeek B 5 B4
Buñuel E 34 C2
Burbach D 7 B4
Burdons-sur-Rognon F 19 A4
Büren D 7 A4
Büren an der Aare CH 20 B2
Burgdorf CH 20 B2
Burgui E 34 B3
Burhave D 3 A5
Burie F 22 C3
Burlada E 34 B2
Burladingen D 21 A4
Burlage D 3 A4
Buronzo I 27 B5
Burret F 36 B2
Bürs A 21 B4
Bürstadt D 13 B4
Busano I 27 B4
Busca I 33 A3
Bussang F 20 B1
Bussière-Badil F 23 C4
Bussière-Poitevine F 23 B4
Bussoleno I 27 B4
Bussum NL 2 B2
Butgenbach B 6 B2
Bütschwil CH 21 B4
Butzbach D 7 B4
Buxières-les-Mines F 18 C1
Buxy F 18 C3
Buzançais F 17 C3
Buzancy F 11 B4
Buzy F 35 A3

C

Cabanac-et-Villagrains F 28 B2
Cabanelles E 37 B3
Cabanillas E 34 B2
Cabasse F 32 B2
Cabdella E 36 B2
Cabourg F 9 A3
Cadalen F 29 C5
Cadaqués E 37 B4
Cadéac F 35 B4
Cadenet F 31 B4
Cadeuil F 22 C3
Cadillac F 28 B2
Cadouin F 29 B3
Cadours F 29 C4
Caen F 9 A3
Cagnes-sur-Mer F 32 B3
Cahors F 29 B4
Cairo Montenotte I 33 A4
Cajarc F 29 B4
Calacuccia F 38 A2
Calaf E 37 C2
Calafell E 37 C2
Calahorra E 34 B2
Calais F 4 B1
Caldas de Boi E 35 B4
Caldas de Malavella E 37 C3
Caldearenas E 35 B3
Calders E 37 C2
Caldes de Montbui E 37 C3
Calella, *Barcelona* E 37 C3
Calella, *Girona* E 37 C4
Calenzana F 38 A1
Calizzano I 33 A4
Callac F 14 A2
Callas F 32 B2

Crécy-la-Chapelle F 10 C2
Crécy-sur-Serre F 11 B3
Creil F 10 B2
Creissels F 30 A2
Cremeaux F 25 B3
Crémieu F 26 B2
Creney F 11 C4
Créon F 28 B2
Crépey F 12 C1
Crépy F 11 B3
Crépy-en-Valois F 10 B2
Crescentino I 27 B5
Cressensac F 29 A4
Cressia F 19 C4
Crest F 25 C5
Cresta CH 21 C4
Créteil F 10 C2
Creully F 8 A3
Creutzwald F 12 B2
Crèvecœur-le-Grand F 10 B2
Crévola d'Ossola I 27 A5
Criel-sur-Mer F 10 A1
Crillon F 10 B1
Criquetot-l'Esneval F 9 A4
Crissolo I 27 C4
Crocq F 24 B2
Crodo I 27 A5
Cronat F 18 C2
Crouy F 10 B3
Crozon F 14 A1
Cruas F 25 C4
Cruis F 32 A1
Cruseilles F 26 A3
Cubelles E 37 C2
Cubjac F 29 A3
Cucuron F 31 B4
Cuers F 32 B2
Cueva de Agreda E 34 C2
Cuges-les-Pins F 32 B1
Cugnaux F 29 C4
Cuijk NL 6 A1
Cuinzier F 25 A4
Cuiseaux F 19 C4
Cuisery F 19 C4
Culan F 17 C4
Culemborg NL 5 A5
Cully CH 20 C1
Culoz F 26 B2
Cumiana I 27 C4
Cúneo I 33 A3
Cunlhat F 25 B3
Cuorgnè I 27 B4
Cusset F 25 A3
Cussy-les-Forges F 18 B3
Custines F 12 C2
Cuts F 10 B3
Cuvilly F 10 B2

D

Daaden D 7 B3
Dabo F 12 C3
Dagmersellen CH 20 B2
Dahn D 13 B3
Dalaas A 21 B5
Dalheim L 12 B2
Daluis F 32 A2
Dalum D 3 B4
Damazan F 29 B3
Dammarie-les-Lys F 10 C2
Dammartin-en-Goële F 10 B2
Damme D 3 B5
Dampierre F 19 B4
Dampierre-sur-Salon F 19 B4
Damüls A 21 B4
Damville F 9 B5
Damvillers F 12 B1
Damwoude NL 2 A2
Dangé-St. Romain F 16 C2
Dangers F 9 B5
Dangeul F 9 B4
Danjoutin F 20 B1
Dannemarie F 20 B2
Daoulas F 14 A1
Darfeld D 3 B4
Darmstadt D 13 B4
Darney F 19 A5
Datteln D 6 A3
Dattenfeld D 7 B3
Daumeray F 16 B1
Daun D 6 B2
Davos CH 21 C4
Dax F 28 C1
De Cocksdorp NL 2 A1
De Haan B 4 A3
De Koog NL 2 A1
De Panne B 4 A2
De Wijk NL 3 B3
Deauville F 9 A4
Decazeville F 30 A1
Decize F 18 C2
Dedemsvaart NL 3 B3
Dego I 33 A4
Deinze B 5 B3
Delbrück D 7 A4
Delden NL 3 B3
Delémont CH 20 B2
Delft NL 2 B1
Delfzijl NL 3 A3
Delle F 20 B2
Delme F 12 C2
Demigny F 19 C3
Demonte I 33 A3
Den Burg NL 2 A1
Den Ham NL 3 B3
Den Helder NL 2 B1
Den Oever NL 2 B2
Denain F 4 B3
Dender-monde B 5 A4
Denekamp NL 3 B4
Denklingen D 7 B3
Déols F 17 C3
Derval F 15 B4
Desana I 27 B5
Descartes F 16 C2
Desvres F 4 B1
Dettingen, *Baden-Württemberg* D 21 B4
Dettwiller F 13 C3
Deurne NL 6 A1
Deventer NL 2 B3
Diano d'Alba I 27 C5
Diano Marina I 33 B4
Die F 26 C2
Diebling F 12 B2
Dieburg D 13 B4
Diekirch L 12 B2
Diélette F 8 A2
Diémoz F 26 B2
Diepenbeck B 5 B5
Diepholz D 3 B5
Dieppe F 9 A5
Dierdorf D 7 B3
Dieren NL 2 B3
Diest B 5 B5
Dietikon CH 20 B3
Dietzenbach D 13 A4
Dieue-sur-Meuse F 12 B1
Dieulefit F 31 A4
Dieulouard F 12 C2
Dieuze F 12 C2
Diever NL 3 B3
Diez D 7 B4
Differdange L 12 B1
Dignac F 23 C4
Digne-les-Bains F 32 A2
Digny F 9 B5
Digoin F 18 C2
Dijon F 19 B4
Diksmuide B 4 A2
Dillenburg D 7 B4
Dillingen, *Saarland* D 12 B2
Dilsen B 6 A1
Dinan F 15 A3
Dinant B 5 B4
Dinard F 15 A3
Dingden D 6 A2
Dinklage D 3 B5
Dinslaken D 6 A2
Dinxperlo NL 6 A2
Diou F 18 C2
Dirksland NL 5 A4
Disentis CH 21 C3
Dissen D 3 B5
Ditzingen D 13 C5
Ditzum D 3 A4
Dives-sur-Mer F 9 A3
Divion F 4 B2
Divonne les Bains F 26 A3
Dixmont F 18 A2
Dizy-le-Gros F 11 B4
Dochamps B 6 B1
Doesburg NL 2 B3
Doetinchem NL 3 C3
Dogliani I 33 A3
Doische B 11 A4
Dokkum NL 2 A2
Dol-de-Bretagne F 8 B2
Dolancourt F 18 A3
Dolceácqua I 33 B3
Dole F 19 B4
Dollot F 18 A2
Domat-Ems CH 21 C4
Dombasle-sur-Meurthe F 12 C2
Domène F 26 B2
Domérat F 24 A2
Domfessel F 12 C3
Domfront F 8 B3
Domfront-en-Champagne F 16 A2
Dommartin F 11 C4
Dommartin-le-Franc F 11 C4
Domme F 29 B4
Domodóssola I 27 A5
Dompaire F 19 A5
Dompierre-du-Chemin F 8 B2
Dompierre-sur-Besbre F 18 C2
Dompierre-sur-Mer F 22 B2
Domrémy-la-Pucelle F 12 C1
Domsure F 26 A2
Donaueschingen D 20 B3
Donestebe-Santesteban E 34 A2
Donges F 15 B3
Donnemarie-Dontilly F 10 C3
Donostia-San Sebastián E 34 A2
Donzenac F 29 A4
Donzère F 31 A3
Donzy F 18 B2
Doorn NL 2 B2
Dordrecht NL 5 A4
Dörenthe D 3 B4
Dormagen D 6 A2
Dormans F 11 B3
Dornbirn A 21 B4
Dornecy F 18 B2
Dornes F 18 C2
Dornhan D 13 C4
Dornum D 3 A4
Dörpen D 3 B4
Dorsten D 6 A2
Dortan F 26 A2
Dortmund D 6 A3
Dottignies B 4 B3
Döttingen CH 20 B3
Douai F 4 B3
Douarnenez F 14 A1
Douchy F 18 B2
Douchy-les-Mines F 4 B3
Doucier F 19 C4
Doudeville F 9 A4
Doué-la-Fontaine F 16 B1
Doulaincourt F 11 C5
Doulevant-le-Château F 11 C4
Doullens F 10 A2
Dour B 5 B3
Dourdan F 10 C2
Dourgne F 36 A3
Dournazac F 23 C4
Douvaine F 26 A3
Douvres-la-Délivrande F 9 A3
Douzy F 11 B5
Doyet F 24 A2
Dozule F 9 A3
Drachten NL 2 A3
Draguignan F 32 B2
Dreieich D 13 A4
Dreisen D 13 B4
Drensteinfurt D 7 A3
Dreux F 9 B5
Dringenberg D 7 A5
Dronero I 33 A3
Dronrijp NL 2 A2
Dronten NL 2 B2
Droué F 17 A3
Drulingen F 12 C3
Drunen NL 5 A5
Druten NL 6 A1
Dübendorf CH 21 B3
Ducey F 8 B2
Duclair F 9 A4
Duffel B 5 A4
Dugny-sur-Meuse F 12 B1
Duisburg D 6 A2
Dülken D 6 A2
Dülmen D 6 A3
Dümpelfeld D 6 B2
Dun-le-Palestel F 24 A1
Dun-les-Places F 18 B3
Dun-sur-Auron F 17 C4
Dun-sur-Meuse F 11 B5
Dunkerque = Dunkirk F 4 A2
Dunkirk = Dunkerque F 4 A2
Dunningen D 21 A3
Durach D 21 B5
Durance F 28 B3
Duras F 28 B3
Durban-Corbières F 36 B3
Dürbheim D 21 A3
Durbuy B 5 B5
Düren D 6 B2
Durlach D 13 C4
Dürrboden CH 21 C4
Dürrenboden CH 21 C3
Durtal F 16 B1
Düsseldorf D 6 A2
Dusslingen D 13 C5

E

Eaux-Bonnes F 35 B3
Eauze F 28 C3
Eberbach D 13 B4
Ebnat-Kappel CH 21 B4
Ebreuil F 24 A3
Echallens CH 20 C1
Echauri E 34 B2
Echiré F 22 B3
Échirolles F 26 B2
Echourgnac F 28 A3
Echt NL 6 A1
Echternach L 12 B2
Eckelshausen D 7 B4
Éclaron F 11 C4
Écommoy F 16 B2
Écouché F 9 B3
Ecouis F 10 B1
Écueillé F 17 B3
Edam NL 2 B2
Ede NL 2 B2
Edenkoben D 13 B4
Edesheim D 13 B4
Edewecht D 3 A4
Eekloo B 5 A3
Eemshaven NL 3 A3
Eerbeek NL 2 B3
Eersel NL 5 A5
Effiat F 24 A3
Egg A 21 B4
Egg D 21 A5
Éghezée B 5 B4
Égletons F 24 B2
Eglisau CH 21 B3
Égliseneuve-d'Entraigues F 24 B2
Eglofs D 21 B4
Egmond aan Zee NL 2 B1
Eguilles F 31 B4
Eguilly-sous-Bois F 18 A3
Éguzon-Chantôme F 17 C3
Ehrang D 12 B2
Ehringshausen D 7 B4
Eibergen NL 3 B3
Eickelborn D 7 A4
Eindhoven NL 5 A5
Einsiedeln CH 21 B3
Einville-au-Jard F 12 C2
Eisenberg, *Rheinland-Pfalz* D 13 B4
Eitorf D 6 B3
Ejea de los Caballeros E 34 B2
Eke B 5 B3
El Buste E 34 C2
El Frago E 34 B3
El Grado E 35 B4
El Masnou E 37 C3
El Morell E 37 C2
El Pla de Santa Maria E 37 C2
El Pont d'Armentera E 37 C2
El Port de la Selva E 37 B4
El Port de Llançà E 36 B4
El Prat de Llobregat E 37 C3
El Serrat AND 36 B2
El Temple E 34 C3
El Tormillo E 35 C3
El Vendrell E 37 C2
El Villar de Arnedo E 34 B1
Élancourt F 10 C1
Elbeuf F 9 A4
Elburg NL 2 B2
Elizondo E 34 A2
Ellezelles B 5 B3
Elm CH 21 C4
Elmstein D 13 B3
Elne F 36 B3
Éloyes F 19 A5
Els Castells E 37 B2
Elsdorf D 6 B2
Elsenfeld D 13 B5
Elspeet NL 2 B2
Elst NL 2 C2
Eltville D 13 A4
Elven F 15 B3
Elzach D 20 A3
Embrun F 32 A2
Embún E 34 B3
Emden D 3 A4
Emlichheim D 3 B3
Emmeloord NL 2 B2
Emmen CH 20 B3
Emmen NL 3 B3
Emmendingen D 20 A2
Emmer-Compascuum NL 3 B4
Emmerich D 6 A2
Emsbüren D 3 B4
Emsdetten D 3 B4
Emstek D 3 B5
Encamp AND 36 B2
Enciso E 34 B1
Endingen D 20 A2
Engelberg CH 20 C3
Engelskirchen D 6 B3
Engen D 21 B3
Enghien B 5 B4
Engter D 3 B5
Enkenbach D 13 B3
Enkhuizen NL 2 B2
Ennezat F 24 B3
Ennigerloh D 7 A4
Ens NL 2 B2
Enschede NL 3 B3
Ensisheim F 20 B2
Entlebuch CH 20 B3
Entrácque I 33 A3
Entrains-sur-Nohain F 18 B2
Entraygues-sur-Truyère F 24 C2
Entrevaux F 32 B2
Entzheim F 13 C3
Envermeu F 9 A5
Enzklösterle D 13 C4
Épagny F 10 B3
Epalinges CH 20 C1
Epannes F 22 B3
Epe D 3 B4
Epe NL 2 B2
Épernay F 11 B3
Épernon F 10 C1
Epfig F 13 C3
Epierre F 26 B3
Épinac F 18 C3
Épinal F 19 A5
Epoisses F 18 B3
Eppenbrunn D 13 B3
Eppingen D 13 B4
Erbach, *Hessen* D 13 B4
Erbalunga F 38 A2
Erfstadt D 6 B2
Eriswil CH 20 B2
Erkelenz D 6 A2
Erkrath D 6 A2
Erla E 34 B3
Erli I 33 A4
Ermelo NL 2 B2
Ermenonville F 10 B2
Erndtebrück D 7 B4
Ernée F 8 B3
Erolzheim D 21 A5
Erquelinnes B 5 B4
Erquy F 15 A3
Erratzu E 34 A2
Erro E 34 B2
Ersa F 38 A2
Erstein F 13 C3
Erstfeld CH 21 C3
Ertingen D 21 A4
Ervy-le-Châtel F 18 A2
Erwitte D 7 A4
Esbly F 10 C2
Esch-sur-Alzette L 12 B1
Esch-sur-Sûre L 12 B1
Eschach D 21 B4
Eschenz CH 21 B3
Eschweiler D 6 B2
Escoeuilles F 4 B1
Escos F 34 A2
Escource F 28 B1
Escragnolles F 32 B2
Esens D 3 A4
Eslava E 34 B2
Eslohe D 7 A4
Espalion F 30 A1
Esparreguera E 37 C2
Esparron F 32 B1
Espeluche F 31 A3
Espéraza F 36 B3
Espinasses F 32 A2
Espinelves E 37 C3
Espluga de Francolí E 37 C2
Esplús E 35 C4
Espolla E 36 B3
Espot E 36 B2
Esquedas E 35 B3
Essay F 9 B4
Essen B 5 A4
Essen, *Niedersachsen* D 3 B4
Essen, *Nordrhein-Westfalen* D 6 A3
Essertaux F 10 B2
Essoyes F 18 A3
Estadilla E 35 B4
Estagel F 36 B3
Estaires F 4 B2
Estang F 28 C2
Estartit E 37 B4
Estavayer-le-Lac CH 20 C1
Estella E 34 B1
Esternay F 11 C3
Esterri d'Aneu E 36 B2
Esterwegen D 3 B4
Estissac F 18 A2
Estivareilles F 24 A2
Estopiñán E 35 C4
Estoublon F 32 B2
Estrée-Blanche F 4 B2
Estrées-St. Denis F 10 B2
Esyres F 16 B2
Etables-sur-Mer F 14 A3
Étain F 12 B1
Étalans F 19 B5
Etalle B 12 B1
Étampes F 10 C2
Etang-sur-Arroux F 18 C3
Étaples F 4 B1
Etauliers F 28 A2
Etoges F 11 C3
Etréaupont F 11 B3
Étréchy F 10 C2
Étrépagny F 10 B1
Étretat F 9 A4
Étrœungt F 11 A3
Étroubles I 27 B4
Ettelbruck L 12 B2
Etten NL 5 A4
Ettenheim D 20 A2
Ettlingen D 13 C4
Etuz F 19 B4
Etxarri-Aranatz E 34 B1
Eu F 10 A1
Eulate E 34 B1
Eupen B 6 B2
Europoort NL 5 A4
Euskirchen D 6 B2
Évaux-les-Bains F 24 A2
Evergem B 5 A3
Eversberg D 7 A4
Everswinkel D 3 C4
Évian-les-Bains F 26 A3
Evisa F 38 A1
Evolène CH 27 A4
Evran F 15 A4
Evrecy F 9 A3
Évreux F 9 A5
Évron F 16 A1
Évry F 10 C2
Ewersbach D 7 B4
Excideuil F 23 C5
Exmes F 9 B4
Eyguians F 32 A1
Eyguières F 31 B4
Eygurande F 24 B2
Eylie F 35 B4
Eymet F 29 B3
Eymoutiers F 24 B1
Ezcároz E 34 B2

F

Fabrègues F 30 B2
Fagnières F 11 C4
Faido CH 21 C3
Fains F 11 C5
Falaise F 9 B3
Falces E 34 B2
Falset E 37 C1
Fanjeaux F 36 A3
Fara Novarese I 27 B5
Farasdues E 34 B2
Faucogney-et-la-Mer F 19 B5
Fauguerolles F 28 B3
Faulquemont F 12 B2
Fauquembergues F 4 B2
Fauville-en-Caux F 9 A4
Fauvillers B 12 B1
Faverges F 26 B3
Faverney F 19 B5
Fay-aux-Loges F 17 B4
Fayence F 32 B2
Fayet F 30 B1
Fayl-Billot F 19 B4
Fécamp F 9 A4
Feldkirch A 21 B4
Felizzano I 27 C5
Felletin F 24 B2
Felsberg D 7 A5
Fenestrelle I 27 B4
Fénétrange F 12 C3
Feneu F 16 B1
Fère-Champenoise F 11 C3
Fère-en-Tardenois F 11 B3
Fernay-Voltaire F 26 A3
Ferpécle CH 27 A4
Ferrals-les-Corbières F 36 A3
Ferret CH 27 B4
Ferrette F 20 B2
Ferrière-la-Grande F 5 B3
Ferrières, *Hautes-Pyrénées* F 35 A3
Ferrières, *Loiret* F 17 A4
Ferrières, *Oise* F 10 B2
Ferrières-sur-Sichon F 25 A3
Ferwerd NL 2 A2
Festieux F 11 B3
Feudingen D 7 B4
Feuges F 11 C4
Feuquières F 10 B1
Feurs F 25 B4
Fiano I 27 B4
Fiesch CH 27 A5
Figari F 38 B2
Figeac F 24 C2
Figols E 35 B4
Figueres E 37 B3
Filisur CH 21 C4
Finale Lígure I 33 A4
Finsterwolde NL 3 A4
Firmi F 30 A1
Firminy F 25 B4
Fischbach D 13 B3
Fischen D 21 B5
Fismes F 11 B3
Fitero E 34 B2
Flaça E 37 B3
Flace F 25 A4
Flaine F 26 A3
Flamatt CH 20 C2
Flammersfeld D 7 B3
Flassans-sur-Issole F 32 B2
Flavigny-sur-Moselle F 12 C2
Flavy-le-Martel F 10 B3
Flawil CH 21 B4
Flayosc F 32 B2
Flehingen D 13 B4
Flers F 8 B3
Fleurance F 29 C3
Fleuré F 23 B4
Fleurier CH 19 C5
Fleurus B 5 B4
Fleury, *Hérault* F 30 B2
Fleury, *Yonne* F 18 B2
Fleury-les-Aubrais F 17 B3
Fleury-sur-Andelle F 9 A5
Fleury-sur-Orne F 9 A3
Flieden D 7 B5
Flims CH 21 C4
Flines-lèz-Raches F 4 B3
Flirey F 12 C1
Flixecourt F 10 A2
Flize F 11 B4
Flobecq B 5 B3
Flogny-la-Chapelle F 18 B2
Flonheim D 13 B4
Florac F 30 A2
Floreffe B 5 B4
Florennes B 5 B4
Florensac F 30 B2
Florentin F 29 C5
Florenville B 11 B5
Flörsheim D 13 A4
Flühli CH 20 C3
Flumet F 26 B3
Flums CH 21 B4
Foix F 36 B2
Folelli F 38 A2
Foncine-le-Bas F 19 C5
Font-Romeu F 36 B3
Fontaine F 11 C4
Fontaine de Vaucluse F 31 B4
Fontaine-Française F 19 B4
Fontaine-le-Dun F 9 A4
Fontainebleau F 10 C2
Fontan F 33 A3
Fontane I 33 A3
Fontanières F 24 A2
Fontenay-le-Comte F 22 B3
Fontenay-Trésigny F 10 C2
Fontevrault-l'Abbaye F 16 B2
Fontoy F 12 B1
Fontpédrouse F 36 B3
Fonz E 35 B4
Forbach D 13 C4
Forbach F 12 B2
Forcalquier F 32 B1
Forges-les-Eaux F 10 B1
Formazza I 27 A5
Formerie F 10 B1
Formigliana I 27 B5
Formiguères F 36 B3

Forno, *Piemonte* I 27 B5
Forno, *Piemonte* I 27 B4
Forno Alpi-Gráie I 27 B4
Fort-Mahon-Plage F 4 B1
Fos F 35 B4
Fos-sur-Mer F 31 B3
Fossano I 33 A3
Fosse-la-Ville B 5 B4
Fouchères F 18 A3
Fouesnant F 14 B1
Foug F 12 C1
Fougères F 8 B2
Fougerolles F 19 B5
Foulain F 19 A4
Fouras F 22 C2
Fourchambault F 18 B2
Fourmies F 11 A4
Fournels F 24 C3
Fournols F 25 B3
Fourques F 36 B3
Fourquevaux F 36 A2
Fours F 18 C2
Frabosa Soprana I 33 A3
Fraire B 5 B4
Fraize F 20 A1
Francaltroff F 12 C2
Francescas F 29 B3
Franeker NL 2 A2
Frangy F 26 A2
Frankenau D 7 A4
Frankenberg, *Hessen* D 7 A4
Frankenthal D 13 B4
Frankfurt, *Hessen* D 7 B4
Frasne F 19 C5
Frasnes-lez-Anvaing B 5 B3
Frasseto F 38 B2
Frastanz A 21 B4
Frauenfeld CH 21 B3
Frayssinet F 29 B4
Frayssinet-le-Gélat F 29 B4
Frechen D 6 B2
Freckenhorst D 3 C4
Fredeburg D 7 A4
Freiburg, *Baden-Württemberg* D 20 B2
Freienhagen D 7 A5
Freiensteinau D 7 B5
Freisen D 12 B3
Fréjus F 32 B2
Freren D 3 B4
Fresnay-sur-Sarthe F 9 B4
Fresne-St. Mamès F 19 B4
Fresnes-en-Woevre F 12 B1
Fresnoy-Folny F 10 B1
Fresnoy-le-Grand F 11 B3
Fressenville F 10 A1
Fréteval F 17 B3
Fretigney F 19 B4
Freudenberg, *Nordrhein-Westfalen* D 7 B3
Freudenstadt D 13 C4
Freux B 12 B1
Frévent F 4 B2
Freyming-Merlebach F 12 B2
Fribourg CH 20 C2
Frick CH 20 B3
Friedberg, *Hessen* D 7 B4
Friedeburg D 3 A4
Friedrichsdorf D 7 B4
Friedrichshafen D 21 B4
Friesenheim D 13 C3
Friesoythe D 3 A4
Fritzlar D 7 A5
Froges F 26 B2
Frohnhausen D 7 B4
Froissy F 10 B2
Fröndenberg D 7 A3
Fronsac F 28 B2
Front I 27 B4
Frontenay-Rohan-Rohan F 22 B3
Frontignan F 30 B2
Fronton F 29 C4
Frouard F 12 C2
Fruges F 4 B2
Frutigen CH 20 C2
Fuendejalón E 34 C2
Fully CH 27 A4
Fumay F 11 B4
Fumel F 29 B3
Fürstenau, *Niedersachsen* D 3 B4
Furstenau, *Nordrhein-Westfalen* D 7 A5
Fürth, *Hessen* D 13 B4
Furtwangen D 20 A3
Fusio CH 21 C3
Fustiñana E 34 B2

G

Gabarret F 28 C2
Gabriac F 30 A1
Gaby I 27 B4
Gacé F 9 B4
Gadmen CH 20 C3
Gael F 15 A3
Gaggenau D 13 C4
Gaillac F 29 C4
Gaillefontaine F 10 B1
Gaillon F 9 A5
Gaja-la-Selve F 36 A2
Galan F 35 A4
Galéria F 38 A1
Galgon F 28 B2
Gallardon F 10 C1
Gallur E 34 C2
Galtür A 21 C5
Gamaches F 10 B1
Gammertingen D 21 A4
Gams CH 21 B4
Gan F 35 A3
Ganges F 30 B2
Gannat F 24 A3
Gannay-sur-Loire F 18 C2
Gap F 32 A2
Gardanne F 31 B4
Gardouch F 36 A2
Garein F 28 B2
Garéoult F 32 B2
Garéssio I 33 A4
Gargellen A 21 C4
Gargilesse-Dampierre F 17 C3
Garlin F 28 C2
Garnat-sur-Engièvre F 18 C2
Garrel D 3 B5
Garriguella E 36 B4
Gaschurn A 21 C5
Gasny F 10 B1
Gastes F 28 B1
Gattinara I 27 B5
Gava E 37 C3
Gavarnie F 35 B3
Gavray F 8 B2
Géaudot F 11 C4
Geaune F 28 C2
Gedern D 7 B5
Gedinne B 11 B4
Gèdre F 35 B4
Geel B 5 A4
Geetbets B 5 B5
Geilenkirchen D 6 B2
Geinsheim D 13 B4
Geisenheim D 13 B4
Geisingen D 21 B3
Geldermalsen NL 5 A5
Geldern D 6 A2
Geldrop NL 6 A1
Geleen NL 6 B1
Gelida E 37 C2
Gelnhausen D 7 B5
Gelsenkirchen D 6 A3
Gelterkinden CH 20 B2
Gembloux B 5 B4
Gemeaux F 19 B4
Gémenos F 32 B1
Gemert NL 6 A1
Gemmenich B 6 B1
Gémozac F 22 C3
Gemund D 6 B2
Gemünden, *Hessen* D 7 B4
Gemünden, *Rheinland-Pfalz* D 13 B3
Genappe B 5 B4
Gençay F 23 B4
Gendringen NL 6 A2
Genelard F 18 C3
Genemuiden NL 2 B3
Geneva = Genève CH 26 A3
Genève = Geneva CH 26 A3
Genevriéres F 19 B4
Gengenbach D 13 C4
Genillé F 17 B3
Genk B 6 B1
Genlis F 19 B4
Gennep NL 6 A1
Gennes F 16 B1
Genola I 33 A3
Gensingen D 13 B3
Gent = Ghent B 5 A3
Gentioux F 24 B1
Georgsmarien-hütte D 3 B5
Geraards-bergen B 5 B3
Gérardmer F 20 A1
Gerbéviller F 12 C2
Gergy F 19 C3
Germay F 12 C1
Germersheim D 13 B4
Gernsbach D 13 C4
Gernsheim D 13 B4
Gerolstein D 6 B2
Gerpinnes B 5 B4
Gerri de la Sal E 37 B2
Gerzat F 24 B3
Gescher D 3 C4
Geseke D 7 A4
Gespunsart F 11 B4
Gesté F 15 B4
Gevrey-Chambertin F 19 B3
Gex F 26 A3
Gey D 6 B2
Ghent = Gent B 5 A3
Ghigo I 27 C4
Ghisonaccia F 38 A2
Ghisoni F 38 A2
Giat F 24 B2
Giaveno I 27 B4
Gien F 17 B4
Giens F 32 B2
Gieselwerder D 7 A5
Giessen D 7 B4
Gieten NL 3 A3
Giethoorn NL 2 B3
Giffaumont-Champaubert F 11 C4
Gignac F 30 B2
Gilley F 19 B5
Gilley-sur-Loire F 18 C2
Gilocourt F 10 B2
Gilserberg D 7 B5
Gilze NL 5 A4
Gimont F 29 C3
Ginasservis F 32 B1
Gingelom B 5 B5
Giromagny F 20 B1
Girona E 37 C3
Gironcourt-sur-Vraine F 12 C1
Gironella E 37 B2
Gironville-sous-les-Côtes F 12 C1
Gisors F 10 B1
Gistel B 4 A2
Giswil CH 20 C3
Givet F 11 A4
Givors F 25 B4
Givry B 5 B4
Givry F 18 C3
Givry-en-Argonne F 11 C4
Gizeux F 16 B2
Gladbeck D 6 A2
Gladenbach D 7 B4
Gland CH 19 C5
Glandorf D 3 B4
Glarus CH 21 B4
Gletsch CH 20 C3
Glomel F 14 A2
Goch D 6 A2
Goddelsheim D 7 A4
Godelheim D 7 A5
Goderville F 9 A4
Goes NL 5 A3
Goetzenbrück F 13 C3
Góglio I 27 A5
Goirle NL 5 A5
Goizueta E 34 A2
Goldach CH 21 B4
Goldbach D 13 A5
Gomaringen D 13 C5
Goncelin F 26 B2
Gondrecourt-le-Château F 12 C1
Gondrin F 28 C3
Gonfaron F 32 B2
Goñi E 34 B2
Gooik B 5 B4
Goor NL 3 B3
Goppenstein CH 27 A4
Gorey GB 8 A1
Gorinchem NL 5 A4
Gorredijk NL 2 A3
Gorron F 8 B3
Gossau CH 21 B4
Götzis A 21 B4
Gouarec F 14 A2
Gouda NL 2 B1
Gourdon F 29 B4
Gourgançon F 11 C4
Gourin F 14 A2
Gournay-en-Bray F 10 B1
Gouvy B 6 B1
Gouzeacourt F 10 A3
Gouzon F 24 A2
Gozee B 5 B4
Grabs CH 21 B4
Graçay F 17 B3
Gramat F 29 B4
Grancey-le-Château F 19 B4
Grand-Champ F 14 B3
Grand Couronne F 9 A5
Grand-Fougeray F 15 B4
Grandcamp-Maisy F 8 A2
Grandpré F 11 B4
Grandrieu B 5 B4
Grandrieu F 25 C3
Grandson CH 20 C1
Grandvillars F 20 B1
Grandvilliers F 10 B1
Grañén E 35 C3
Granges-de Crouhens F 35 B4
Granges-sur-Vologne F 20 A1
Granollers E 37 C3
Granville F 8 B2
Grasse F 32 B2
Graulhet F 29 C4
Graus E 35 B4
Grávalos E 34 B2
Grave NL 6 A1
Gravelines F 4 A2
Gravellona Toce I 27 B5
's-Gravendeel NL 5 A4
's-Gravenhage = The Hague NL 2 B1
's-Gravenzande NL 5 A4
Graveson F 31 B3
Gray F 19 B4
Grebenstein D 7 A5
Grefrath D 6 A2
Grenade F 29 C4
Grenade-sur-l'Adour F 28 C2
Grenchen CH 20 B2
Grenoble F 26 B2
Gréoux-les-Bains F 32 B1
Gressoney-la-Trinité I 27 B4
Gressoney-St.-Jean I 27 B4
Greven, *Nordrhein-Westfalen* D 3 B4
Grevenbroich D 6 A2
Grevenbrück D 7 A4
Grevenmacher L 12 B2
Grez-Doiceau B 5 B4
Grez-en-Bouère F 16 B1
Grèzec F 29 B4
Griesheim D 13 B4
Grignan F 31 A3
Grignols F 28 B2
Grignon F 26 B3
Grijpskerk NL 3 A3
Grimaud F 32 B2
Grimbergen B 5 B4
Grimmialp CH 20 C2
Grindelwald CH 20 C3
Grisolles F 29 C4
Groenlo NL 3 B3
Groesbeek NL 6 A1
Groix F 14 B2
Gronau, *Nordrhein-Westfalen* D 3 B4
Grönenbach D 21 B5
Groningen NL 3 A3
Grootegast NL 3 A3
Gross-Gerau D 13 B4
Gross Reken D 6 A3
Gross Umstadt D 13 B4
Grossenkneten D 3 B5
Grossenlüder D 7 B5
Grosshöchstetten CH 20 C2
Grossostheim D 13 B5
Grostenquin F 12 C2
Grouw NL 2 A2
Gruissan F 30 B2
Grünberg D 7 B4
Gründau D 7 B5
Grünstadt D 13 B4
Gruyères CH 20 C2
Gstaad CH 20 C2
Gsteig CH 27 A4
Guagno F 38 A1
Guardiola de Bergueda E 37 B2
Guebwiller F 20 B2
Guémené-Penfao F 15 B4
Guémené-sur-Scorff F 14 A2
Guer F 15 B3
Guérande F 15 B3
Guéret F 24 A1
Guérigny F 18 B2
Guesa E 34 B2
Gueugnon F 18 C3
Guichen F 15 B4
Guignes F 10 C2
Guillaumes F 32 A2
Guillestre F 26 C3
Guillos F 28 B2
Guilvinec F 14 B1
Guînes F 4 B1
Guingamp F 14 A2
Guipavas F 14 A1
Guiscard F 10 B3
Guiscriff F 14 A2
Guise F 11 B3
Guisona E 37 C2
Guîtres F 28 A2
Gujan-Mestras F 28 B1
Gummersbach D 7 A3
Gundel-fingen D 20 A2
Gundelsheim D 13 B5
Gunderschoffen F 13 C3
Guntersblum D 13 B4
Gurrea de Gállego E 34 B3
Gütersloh D 7 A4
Guttannen CH 20 C3
Güttingen CH 21 B4
Gy F 19 B4
Gyé-sur-Seine F 18 A3
Gypsera CH 20 C2

H

Haacht B 5 B4
Haaksbergen NL 3 B3
Haamstede NL 5 A3
Haan D 6 A3
Haarlem NL 2 B1
Habas F 28 C2
Habay B 12 B1
Habsheim F 20 B2
Hachenburg D 7 B3
Hadamar D 7 B4
Hage D 3 A4
Hagen, *Nordrhein-Westfalen* D 6 A3
Hagenbach D 13 B4
Hagetmau F 28 C2
Hagondange F 12 B2
Haguenau F 13 C3
Hahnslätten D 7 B4
Haiger D 7 B4
Haigerloch D 13 C4
Haldem D 3 B5
Halle B 5 B4
Hallenberg D 7 A4
Halluin F 4 B3
Haltern D 6 A3
Halver D 6 A3
Ham F 10 B3
Hambach F 12 B3
Hamm D 7 A3
Hamme B 5 A4
Hamminkeln D 6 A2
Hamoir B 6 B1
Hamont B 6 A1
Hanau D 7 B4
Hannut B 5 B5
Hardegarijp NL 2 A2
Hardelot Plage F 4 B1
Hardenberg NL 3 B3
Harderwijk NL 2 B2
Hardt D 20 A3
Haren D 3 B4
Haren NL 3 A3
Harfleur F 9 A4
Hargicourt F 10 B3
Hargnies F 11 A4
Harkebrügge D 3 A4
Harlingen NL 2 A2
Haroué F 12 C2
Harsewinkel D 3 C5
Hartennes F 10 B3
Haselünne D 3 B4
Haslach D 20 A3
Hasparren F 34 A2
Hasselt B 5 B5
Hasselt NL 2 B3
Hassloch D 13 B4
Hastière-Lavaux B 5 B4
Hattem NL 2 B3
Hatten D 3 A5
Hatten F 13 C3
Hattingen D 6 A3
Hattstadt F 20 A2
Hau D 6 A2
Haudainville F 12 B1
Haulerwijk NL 3 A3
Hausach D 20 A3
Haut-Fays B 11 A5
Hautefort F 29 A4
Hauterives F 25 B5
Hauteville-Lompnès F 26 B2
Hautmont F 5 B3
Hautrage B 5 B3
Havelange B 5 B5
Havelte NL 2 B3
Havixbeck D 3 C4
Hayange F 12 B2
Hazebrouck F 4 B2
Héas F 35 B4
Hechingen D 13 C4
Hecho E 34 B3
Hechtel B 5 A5
Hédé F 15 A4
Heede D 3 B4
Heek D 3 B4
Heemstede NL 2 B1
Heerde NL 2 B3
Heerenveen NL 2 B2
Heerhugowaard NL 2 B1
Heerlen NL 6 B1
Heeze NL 6 A1
Heidelberg D 13 B4
Heiden D 6 A2
Heilbronn D 13 B5
Heiligenhaus D 6 A2
Heiloo NL 2 B1
Heinerscheid L 12 A2
Heinsberg D 6 A2
Heist-op-den-Berg B 5 A4
Helchteren B 5 A5
Hellendoorn NL 3 B3
Hellenthal D 6 B2
Hellevoetsluis NL 5 A4
Helmond NL 6 A1
Hemer D 7 A3
Héming F 12 C2
Hendaye F 34 A2
Hengelo, *Gelderland* NL 3 B3
Hengelo, *Overijssel* NL 3 B3
Hénin-Beaumont F 4 B2
Hennebont F 14 B2
Henrichemont F 17 B4
Heppenheim D 13 B4
Herbault F 17 B3
Herbern D 7 A3
Herbeumont B 11 B5
Herbignac F 15 B3
Herbisse F 11 C4
Herbitzheim F 12 B3
Herbolzheim D 20 A2
Herborn D 7 B4
Herchen D 6 B3
Herent B 5 B4
Herentals B 5 A4
Hérépian F 30 B2
Héric F 15 B4
Héricourt F 20 B1
Héricourt-en-Caux F 9 A4
Hérimoncourt F 20 B1
Herisau CH 21 B4
Hérisson F 17 C4
Herk-de-Stad B 5 B5
Herment F 24 B2
Hermeskeil D 12 B2
Hermonville F 11 B3
Hernani E 34 A2
Herne D 6 A3
Herrenberg D 13 C4
Herrlisheim F 13 C3
Herscheid D 7 A3
Herselt B 5 A4
Herstal B 6 B1
Herten D 6 A3
's-Hertogenbosch NL 5 A5
Herxheim D 13 B4
Herzebrock D 7 A4
Herzlake D 3 B4
Herzogenbuchsee CH 20 B2
Hesdin F 4 B2
Hesel D 3 A4
Hettange-Grande F 12 B2
Heuchin F 4 B2
Heudicourt-sous-les-Côtes F 12 C1
Heunezel F 19 A5
Heuqueville F 9 A4
Hiersac F 23 C4
Hilchenbach D 7 A4
Hilden D 6 A2
Hillegom NL 2 B1
Hillesheim D 6 B2
Hilvarenbeek NL 5 A5
Hilversum NL 2 B2
Hindelbank CH 20 B2
Hinterweidenthal D 13 B3
Hinwil CH 21 B3
Hippolytushoef NL 2 B1
Hirschhorn D 13 B4
Hirsingue F 20 B2
Hirson F 11 B4
Hirzenhain D 7 B5
Hittisau A 21 B4
Hobscheid L 12 B1
Hochdorf CH 20 B3
Hochfelden F 13 C3
Hochspeyer D 13 B3
Höchst im Odenwald D 13 B5
Hochstenbach D 7 B3
Hockenheim D 13 B4
Hoedekenskerke NL 5 A3
Hoegaarden B 5 B4
Hoek van Holland NL 5 A4
Hoenderlo NL 2 B2
Hofgeismar D 7 A5
Hofheim, *Hessen* D 13 A4
Hohenems A 21 B4
Hohenkirchen D 3 A4
Hohentengen D 20 B3
Hohenwepel D 7 A5
Holdorf D 3 B5
Hollum NL 2 A2
Holten NL 3 B3
Holtwick D 3 B4
Holwerd NL 2 A2
Holzminden D 7 A5
Homberg, *Hessen* D 7 A5
Homberg, *Hessen* D 7 B5
Homburg D 13 B3
Hondarribia E 34 A2
Hondschoote F 4 B2
Honfleur F 9 A4
Hönningen D 6 B2
Hontheim D 12 A2
Hoofddorp NL 2 B1
Hoogerheide NL 5 A4
Hoogeveen NL 3 B3
Hoogezand-Sappemeer NL 3 A3
Hoogkarspel NL 2 B2
Hoogkerk NL 3 A3
Hoogstede D 3 B3
Hoogstraten B 5 A4
Hooksiel D 3 A5
Hoorn NL 2 B2
Hopsten D 3 B4
Horb am Neckar D 13 C4
Horgen CH 21 B3
Horn D 7 A4
Hornberg D 20 A3
Hornoy-le-Bourg F 10 B1
Horst NL 6 A2
Horstel D 3 B4
Horsten D 3 A4
Horstmar D 3 B4
Hösbach D 13 A5
Hosenfeld D 7 B5
Hosingen L 12 A2
Hospental CH 21 C3
Hossegor F 28 C1
Hostal de Ipiés E 35 B3
Hostalric E 37 C3
Hostens F 28 B2
Hotton B 5 B5
Houdain F 4 B2
Houdan F 10 C1
Houdelaincourt F 12 C1
Houeillès F 28 B3
Houffalize B 12 A1
Houlgate F 9 A3
Hourtin F 28 A1
Hourtin-Plage F 28 A1
Houthalen B 5 A5
Houyet B 5 B4
Hovelhof D 7 A4
Höxter D 7 A5
Hückel-hoven D 6 A2
Hückeswagen D 6 A3
Hucqueliers F 4 B1
Huelgoat F 14 A2
Huesca E 35 B3
Hüfingen D 20 B3
Huissen NL 2 C2
Huizen NL 2 B2
Hüls D 6 A2
Hulst NL 5 A4
Hungen D 7 B4
Hünxe D 6 A2
Hürbel D 21 A4
Hürth D 6 B2
Hüsten D 7 A3
Huttwil CH 20 B2
Huy B 5 B5
Hyères F 32 B2
Hyères Plage F 32 B2

I

Ibbenbüren D 3 B4
Ichtegem B 4 A3
Idar-Oberstein D 13 B3
Idiazábal E 34 B1
Idstein D 7 B4
Ieper = Ypres B 4 B2
Igea E 34 B1
Igny-Comblizy F 11 B3
Igries E 35 B3
Igualada E 37 C2
Iguerande F 25 A4
Ihringen D 20 A2

Marvejols	F	30	A2
Marville	F	12	B1
Mas-Cabardès	F	36	A3
Masera	I	27	A5
Masevaux	F	20	B1
Maslacq	F	34	A3
Masone	I	33	A4
Massat	F	36	B2
Massay	F	17	B3
Masseret	F	24	B1
Masseube	F	35	A4
Massiac	F	24	B3
Massignac	F	23	C4
Massmechelen	B	6	B1
Matalebreras	E	34	C1
Mataró	E	37	C3
Matha	F	23	C3
Mathay	F	20	B1
Matignon	F	15	A3
Matour	F	25	A4
Maubert-Fontaine	F	11	B4
Maubeuge	F	5	B3
Maubourguet	F	35	A4
Mauguio	F	31	B3
Maulbronn	D	13	C4
Maule	F	10	C1
Mauléon	F	22	B3
Mauléon-Barousse	F	35	B4
Mauléon-Licharre	F	34	A3
Maulévrier	F	22	A3
Maure-de-Bretagne	F	15	B4
Maureilhan	F	30	B2
Mauriac	F	24	B2
Mauron	F	15	A3
Maurs	F	24	C2
Maury	F	36	B3
Maussane-les-Alpilles	F	31	B3
Mauvezin	F	29	C3
Mauzé-sur-le-Mignon	F	22	B3
Maxent	F	15	B3
Maxey-sur-Vaise	F	12	C1
Mayen	D	6	B3
Mayenne	F	8	B3
Mayet	F	16	B2
Mayres	F	25	C4
Mazamet	F	30	B1
Mazan	F	31	A4
Mazères	F	36	A2
Mazères-sur-Salat	F	35	A4
Mazières-en-Gâtine	F	23	B3
Méan	B	5	B5
Meaulne	F	17	C4
Meaux	F	10	C2
Mechelen	B	5	A4
Mechernich	D	6	B2
Meckenbeuren	D	21	B4
Meckenheim, *Rheinland-Pfalz*	D	6	B3
Meckenheim, *Rheinland-Pfalz*	D	13	B4
Meckesheim	D	13	B4
Medebach	D	7	A4
Medemblik	NL	2	B2
Meerle	B	5	A4
Meersburg	D	21	B4
Meeuwen	B	5	A5
Megève	F	26	B3
Mehun-sur-Yèvre	F	17	B4
Meijel	NL	6	A1
Meilen	CH	21	B3
Meilhan	F	28	C2
Meina	I	27	B5
Meinerzhagen	D	7	A3
Meiringen	CH	20	C3
Meisenheim	D	13	B3
Meix-devant-Virton	B	12	B1
Melisey	F	19	B5
Melle	B	5	A3
Melle	D	3	B5
Melle	F	23	B3
Mels	CH	21	B4
Melun	F	10	C2
Memer	F	29	B4
Memmingen	D	21	B5
Menat	F	24	A2
Mendavia	E	34	B1
Mendaza	E	34	B1
Mende	F	30	A2
Menden	D	7	A3
Mendig	D	6	B3
Ménéac	F	15	A3
Menen	B	4	B3
Menetou-Salon	F	17	B4
Mengen	D	21	A4
Menou	F	18	B2
Mens	F	26	C2
Menslage	D	3	B4
Menton	F	33	B3
Méobecq	F	23	B5
Méounes-les-Montrieux	F	32	B1
Meppel	NL	2	B3
Meppen	D	3	B4
Mer	F	17	B3
Merchtem	B	5	B4
Merdrignac	F	15	A3
Meréville	F	10	C2
Merfeld	D	6	A3
Méribel	F	26	B3
Méribel Motraret	F	26	B3
Mérignac	F	28	B2
Merksplas	B	5	A4
Merlimont Plage	F	4	B1
Mers-les-Bains	F	10	A1
Mersch	L	12	B2
Méru	F	10	B2
Mervans	F	19	C4
Merville	F	4	B2
Méry-sur-Seine	F	11	C3
Merzen	D	3	B4
Merzig	D	12	B2
Meschede	D	7	A4
Meschers-sur-Gironde	F	22	C3
Meslay-du-Maine	F	16	B1
Messac	F	15	B4
Messancy	B	12	B1
Messei	F	8	B3
Messingen	D	3	B4
Messkirch	D	21	B4
Messtetten	D	21	A3
Mesvres	F	18	C3
Metelen	D	3	B4
Metslawier	NL	2	A3
Mettendorf	D	12	B2
Mettet	B	5	B4
Mettingen	D	3	B4
Mettlach	D	12	B2
Mettlen	CH	20	C2
Mettmann	D	6	A2
Metz	F	12	B2
Metzervisse	F	12	B2
Meulan	F	10	B1
Meung-sur-Loire	F	17	B3
Meuzac	F	23	C5
Meximieux	F	26	B2
Meyerhöfen	D	3	B5
Meylan	F	26	B2
Meymac	F	24	B2
Meyrargues	F	32	B1
Meyrueis	F	30	A2
Meyssac	F	29	A4
Meysse	F	25	C4
Meyzieu	F	25	B4
Mèze	F	30	B2
Mézériat	F	25	A5
Mézidon-Canon	F	9	A3
Mézières-en-Brenne	F	23	B5
Mézières-sur-Issoire	F	23	B4
Mézilhac	F	25	C4
Mézilles	F	18	B2
Mézin	F	28	B3
Mézos	F	28	B1
Michelstadt	D	13	B5
Middelburg	NL	5	A3
Middelharnis	NL	5	A4
Middelkerke	B	4	A2
Middelstum	NL	3	A3
Midwolda	NL	3	A4
Miélan	F	35	A4
Mieres, *Girona*	E	37	B3
Miesau	D	13	B3
Migennes	F	18	B2
Migné	F	23	B5
Milagro	E	34	B2
Millançay	F	17	B3
Millas	F	36	B3
Millau	F	30	A2
Millesimo	I	33	A4
Millevaches	F	24	B2
Milly-la-Forêt	F	10	C2
Mimizan	F	28	B1
Mimizan-Plage	F	28	B1
Minsen	D	3	A4
Mios	F	28	B2
Mirabel-aux-Baronnies	F	31	A4
Miradoux	F	29	B3
Miramas	F	31	B3
Mirambeau	F	22	C3
Miramont-de-Guyenne	F	29	B3
Miranda de Arga	E	34	B2
Mirande	F	29	C3
Miré	F	16	B1
Mirebeau	F	16	C2
Mirebeau-sur-Bèze	F	19	B4
Mirecourt	F	19	A5
Mirepoix	F	36	A2
Miribel	F	25	B4
Missillac	F	15	B3
Mittelberg, *Vorarlberg*	A	21	B5
Mittersheim	F	12	C2
Mitton	F	28	B2
Modane	F	26	B3
Moëlan-sur-Mer	F	14	B2
Moerbeke	B	5	A3
Moers	D	6	A2
Möhlin	CH	20	B2
Moià	E	37	C3
Moirans	F	26	B2
Moirans-en-Montagne	F	26	A2
Moisdon-la-Rivière	F	15	B4
Moissac	F	29	B4
Mol	B	5	A5
Molare	I	33	A4
Molaretto	I	27	B4
Molas	F	35	A4
Molbergen	D	3	B4
Molières	F	29	B4
Molinet	F	18	C2
Molins de Rei	E	37	C3
Mollerussa	E	37	C1
Mollet de Perelada	E	36	B3
Molló	E	36	B3
Molompize	F	24	B3
Moloy	F	19	B3
Molsheim	F	13	C3
Mombris	D	13	A5
Momo	I	27	B5
Monbahus	F	29	B3
Monbazillac	F	29	B3
Moncalieri	I	27	B4
Moncalvo	I	27	B5
Moncel-sur-Seille	F	12	C2
Mönchen-gladbach = Munchen-Gladbach	D	6	A2
Monclar-de-Quercy	F	29	C4
Moncontour	F	15	A3
Moncoutant	F	22	B3
Mondorf-les-Bains	L	12	B2
Mondoubleau	F	16	B2
Mondovì	I	33	A3
Mondragon	F	31	A3
Monein	F	35	A3
Mónesi	I	33	A3
Monesiglio	I	33	A4
Monestier-de-Clermont	F	26	C2
Monestiés	F	30	A1
Monéteau	F	18	B2
Monflanquin	F	29	B3
Monflorite	E	35	B3
Monforte d'Alba	I	33	A3
Monistrol-d'Allier	F	25	C3
Monistrol de Montserrat	E	37	C2
Monistrol-sur-Loire	F	25	B4
Monnaie	F	16	B2
Monnerville	F	10	C2
Monnickendam	NL	2	B2
Monpazier	F	29	B3
Monreal	D	6	B3
Monreal	E	34	B2
Mons	B	5	B3
Monschau	D	6	B2
Monségur	F	28	B3
Monster	NL	2	B1
Mont-de-Marsan	F	28	C2
Mont-Louis	F	36	B3
Mont-roig del Camp	E	37	C1
Mont-St. Aignan	F	9	A5
Mont-St. Vincent	F	18	C3
Mont-sous-Vaudrey	F	19	C4
Montabaur	D	7	B3
Montafia	I	27	C5
Montagnac	F	30	B2
Montaigu	F	22	B2
Montaigu-de-Quercy	F	29	B4
Montaiguët-en-Forez	F	25	A3
Montaigut	F	24	A2
Montaigut-sur-Save	F	29	C4
Montainville	F	10	C1
Montalieu-Vercieu	F	26	B2
Montalivet-les-Bains	F	22	C2
Montana-Vermala	CH	27	A4
Montans	F	29	C4
Montargis	F	17	B4
Montastruc-la-Conseillère	F	29	C4
Montauban	F	29	B4
Montauban-de-Bretagne	F	15	A3
Montbard	F	18	B3
Montbarrey	F	19	B4
Montbazens	F	30	A1
Montbazon	F	16	B2
Montbéliard	F	20	B1
Montbenoit	F	19	C5
Montbeugny	F	18	C2
Montblanc	E	37	C2
Montbozon	F	19	B5
Montbrison	F	25	B4
Montbron	F	23	C4
Montbrun-les-Bains	F	31	A4
Montceau-les-Mines	F	18	C3
Montcenis	F	18	C3
Montchanin	F	18	C3
Montcornet	F	11	B4
Montcuq	F	29	B4
Montdardier	F	30	B2
Montdidier	F	10	B2
Monte-Carlo	MC	33	B3
Montebourg	F	8	A2
Montech	F	29	C4
Montechiaro d'Asti	I	27	B5
Montel-de-Gelat	F	24	B2
Montelier	F	25	C5
Montélimar	F	31	A3
Montella	E	36	B2
Montemagno	I	27	C5
Montendre	F	28	A2
Monteneuf	F	15	B3
Montereau-Faut-Yonne	F	10	C2
Monterosso Grana	I	33	A3
Montesquieu-Volvestre	F	36	A2
Montesquiou	F	29	C3
Montestruc-sur-Gers	F	29	C3
Montfaucon	F	15	B4
Montfaucon-d'Argonne	F	11	B5
Montfaucon-en-Velay	F	25	B4
Montferrat, *Isère*	F	26	B2
Montferrat, *Var*	F	32	B2
Montfort-en-Chalosse	F	28	C2
Montfort-l'Amaury	F	10	C1
Montfort-le-Gesnois	F	16	A2
Montfort-sur-Meu	F	15	A4
Montfort-sur-Risle	F	9	A4
Montgai	E	37	C1
Montgaillard	F	35	A4
Montgenèvre	F	26	C3
Montgiscard	F	36	A2
Montguyon	F	28	A2
Monthermé	F	11	B4
Monthey	CH	27	A3
Monthois	F	11	B4
Monthureux-sur-Saône	F	19	A4
Montier-en-Der	F	11	C4
Montiglio	I	27	B5
Montignac	F	29	A4
Montigny-le-Roi	F	19	B4
Montigny-lès-Metz	F	12	B2
Montigny-sur-Aube	F	19	B3
Montilly	F	18	C2
Montivilliers	F	9	A4
Montjaux	F	30	A1
Montjean-sur-Loire	F	16	B1
Montlhéry	F	10	C2
Montlieu-la-Gard	F	28	A2
Montlouis-sur-Loire	F	16	B2
Montluçon	F	24	A2
Montluel	F	25	B5
Montmarault	F	24	A2
Montmartin-sur-Mer	F	8	B2
Montmédy	F	12	B1
Montmélian	F	26	B3
Montmeyan	F	32	B2
Montmeyran	F	25	C4
Montmirail, *Marne*	F	11	C3
Montmirail, *Sarthe*	F	16	A2
Montmiral	F	26	B2
Montmirat	F	31	B3
Montmirey-le-Château	F	19	B4
Montmoreau-St. Cybard	F	23	C4
Montmorency	F	10	C2
Montmorillon	F	23	B4
Montmort-Lucy	F	11	C3
Montoir-de-Bretagne	F	15	B3
Montoire-sur-le-Loir	F	16	B2
Montolieu	F	36	A3
Montpellier	F	31	B2
Montpezat-de-Quercy	F	29	B4
Montpezat-sous-Bouzon	F	25	C4
Montpon-Ménestérol	F	28	A3
Montpont-en-Bresse	F	19	C4
Montréal, *Aude*	F	36	A3
Montréal, *Gers*	F	28	C3
Montredon-Labessonnié	F	30	B1
Montréjeau	F	35	A4
Montrésor	F	17	B3
Montret	F	19	C4
Montreuil, *Pas de Calais*	F	4	B1
Montreuil, *Seine St. Denis*	F	10	C2
Montreuil-aux-Lions	F	10	B3
Montreuil-Bellay	F	16	B1
Montreux	CH	20	C1
Montrevault	F	15	B4
Montrevel-en-Bresse	F	26	A2
Montrichard	F	17	B3
Montricoux	F	29	B4
Montrond-les-Bains	F	25	B4
Monts-sur-Guesnes	F	16	C2
Montsalvy	F	24	C2
Montsauche-les-Settons	F	18	B3
Montseny	E	37	C3
Montsoreau	F	16	B2
Montsûrs	F	16	A1
Monzón	E	35	C4
Moordorf	D	3	A4
Moorslede	B	4	B3
Moos	D	21	B3
Morbach	D	12	B3
Morbier	F	19	C5
Morcenx	F	28	B2
Mordelles	F	15	A4
Moréac	F	14	B3
Morée	F	17	B3
Morestel	F	26	B2
Moret-sur-Loing	F	10	C2
Moretta	I	27	C4
Moreuil	F	10	B2
Morez	F	19	C5
Mörfelden	D	13	B4
Morgat	F	14	A1
Morges	CH	19	C5
Morgex	I	27	B4
Morhange	F	12	C2
Morhet	B	12	B1
Morialmé	B	5	B4
Moriani Plage	F	38	A2
Morlaàs	F	35	A3
Morlaix	F	14	A2
Morley	F	11	C5
Mormant	F	10	C2
Mornant	F	25	B4
Mornay-Berry	F	17	B4
Morozzo	I	33	A3
Morsbach	D	7	B3
Mörsch	D	13	C4
Mortagne-au-Perche	F	9	B4
Mortagne-sur-Gironde	F	22	C3
Mortagne-sur-Sèvre	F	22	B3
Mortain	F	8	B3
Morteau	F	19	B5
Mortemart	F	23	B4
Mortrée	F	9	B4
Mortsel	B	5	A4
Morzine	F	26	A3
Mosbach	D	13	B5
Mössingen	D	13	C5
Mostuéjouls	F	30	A2
Mouchard	F	19	C4
Moudon	CH	20	C1
Mougins	F	32	B2
Mouilleron en-Pareds	F	22	B3
Mouliherne	F	16	B2
Moulinet	F	33	B3
Moulins	F	18	C2
Moulins-Engilbert	F	18	C2
Moulins-la-Marche	F	9	B4
Moulismes	F	23	B4
Moult	F	9	A3
Mourenx	F	35	A3
Mouriés	F	31	B3
Mourmelon-le-Grand	F	11	B4
Mouscron	B	4	B3
Moussac	F	31	B3
Moussey	F	12	C2
Mousteru	F	14	A2
Moustey	F	28	B2
Moustiers-Ste. Marie	F	32	B2
Mouthe	F	19	C5
Mouthier-Haute-Pierre	F	19	B5
Mouthoumet	F	36	B3
Moutier	CH	20	B2
Moûtiers	F	26	B3
Moutiers-les-Mauxfaits	F	22	B2
Mouy	F	10	B2
Mouzon	F	11	B5
Moyenmoutier	F	12	C2
Moyenvic	F	12	C2
Much	D	6	B3
Mudau	D	13	B5
Mudersbach	D	7	B3
Mugron	F	28	C2
Mühlacker	D	13	C4
Muhleberg	CH	20	C2
Mühleim	D	21	A3
Mulegns	CH	21	C4
Mülheim	D	6	A2
Mulhouse	F	20	B2
Müllheim	D	20	B2
Munchen-Gladbach = Mönchen-gladbach	D	6	A2
Münchhausen	D	7	B4
Munderkingen	D	21	A4
Münsingen	CH	20	C2
Münster	CH	20	C3
Münster, *Hessen*	D	13	B4
Münster, *Nordrhein-Westfalen*	D	3	C4
Munster	F	20	A2
Muotathal	CH	21	C3
Mur-de-Barrez	F	24	C2
Mur-de-Bretagne	F	14	A2
Mur-de-Sologne	F	17	B3
Murat	F	24	B2
Murat-sur-Vèbre	F	30	B1
Murato	F	38	A2
Murazzano	I	33	A4
Murchante	E	34	B2
Muret	F	36	A2
Murg	CH	21	B4
Muri	CH	20	B3
Murillo el Fruto	E	34	B2
Muro	F	38	A1
Murol	F	24	B2
Muron	F	22	B3
Mürren	CH	20	C2
Murten	CH	20	C2
Murviel-lès-Béziers	F	30	B2
Musculdy	F	34	A3
Musselkanaal	NL	3	B4
Mussidan	F	29	A3
Musson	B	12	B1
Mussy-sur-Seine	F	18	B3
Muzillac	F	15	B3
Myennes	F	18	B1
N			
Naaldwijk	NL	5	A4
Näfels	CH	21	B4
Nagele	NL	2	B2
Nagold	D	13	C4
Nagore	E	34	B2
Nailloux	F	36	A2
Naintré	F	23	B4
Najac	F	29	B4
Nalliers	F	22	B2
Nalzen	F	36	B2
Namur	B	5	B4
Nançay	F	17	B4
Nancy	F	12	C2
Nangis	F	10	C3
Nant	F	30	A2
Nanterre	F	10	C2
Nantes	F	15	B4
Nanteuil-le-Haudouin	F	10	B2
Nantiat	F	23	B5
Nantua	F	26	A2
Narbonne	F	30	B1
Narbonne-Plage	F	30	B2
Narzole	I	33	A3
Nasbinals	F	24	C3
Nassau	D	7	B3
Nastätten	D	7	B3
Naters	CH	27	A5
Naucelle	F	30	A1
Naval	E	35	B4
Navarclés	E	37	C2
Navarrenx	F	34	A3
Navàs	E	37	C2
Navascués	E	34	B2
Navés	E	37	C2
Navilly	F	19	C4
Nay	F	35	A3
Neckargemünd	D	13	B4
Nederweert	NL	6	A1
Neede	NL	3	B3
Neermoor	D	3	A4
Neeroeteren	B	6	A1
Neerpelt	B	5	A5
Nègrepelisse	F	29	B4
Neheim	D	7	A3
Néive	I	27	C5
Nemours	F	17	A4
Nenzing	A	21	B4
Nérac	F	29	B3
Néré	F	23	C3
Néris-les Bains	F	24	A2
Néronde	F	25	B4
Nérondes	F	17	C4
Nes	NL	2	A2
Nesle	F	10	B2
Nesslau	CH	21	B4
Nessmersiel	D	3	A4
Netphen	D	7	B4
Netstal	CH	21	B4
Nettancourt	F	11	C4
Nettetal	D	6	A2
Neu-Isenburg	D	13	A4
Neubeckum	D	7	A4
Neuchâtel	CH	20	C1
Neudorf	D	13	B4
Neuenbürg, *Baden-Württemberg*	D	13	C4
Neuenburg, *Niedersachsen*	D	3	A4
Neuenhaus	D	3	B3
Neuenkirchen, *Niedersachsen*	D	3	B5
Neuenkirchen, *Nordrhein-Westfalen*	D	3	B4
Neuenkirchen, *Nordrhein-Westfalen*	D	7	B3
Neuenrade	D	7	A3
Neuerburg	D	12	A2
Neuf-Brisach	F	20	A2
Neufchâteau	B	12	B1
Neufchâteau	F	12	C1
Neufchâtel-en-Bray	F	10	B1
Neufchâtel-sur-Aisne	F	11	B4
Neuflize	F	11	B4
Neuharlingersiel	D	3	A4
Neuhaus, *Niedersachsen*	D	7	A5
Neuhausen	CH	21	B3
Neuhausen ob Eck	D	21	B3
Neuillé-Pont-Pierre	F	16	B2
Neuilly-en-Thelle	F	10	B2
Neuilly-le-Réal	F	18	C2
Neuilly-l'Évêque	F	19	B4
Neuilly-St. Front	F	10	B3
Neukirchen, *Hessen*	D	7	B5
Neulise	F	25	B4
Neumagen	D	12	B2
Neung-sur-Beuvron	F	17	B3
Neunkirch, *Luzern*	CH	20	B3
Neunkirch, *Schaffhausen*	CH	21	B3
Neunkirchen, *Nordrhein-Westfalen*	D	6	B3
Neunkirchen, *Saarland*	D	12	B3
Neuravensburg	D	21	B4
Neureut	D	13	B4
Neuss	D	6	A2
Neussargues-Moissac	F	24	B2
Neustadt, *Hessen*	D	7	B5
Neustadt, *Rheinland-Pfalz*	D	13	B4
Neuves-Maisons	F	12	C2
Neuvic, *Corrèze*	F	24	B2
Neuvic, *Dordogne*	F	29	A3
Neuville-aux-Bois	F	17	A4
Neuville-de-Poitou	F	23	B4